pos que demoraban en hacer cad.
cia con que se hacía, uno era considerado bueno o no. De
esta competencia nació una depuración técnica en los escaladores de Buenos Aires y por esto, más adelante, muchos
de los socios de este centro harían escaladas importantes
en las cumbres de verdad.

Una cantidad de nombres me viene a la memoria, gente
que hoy no está más en la actividad, y otros, desaparecidos
en la montaña.

Marcelo Costa, Pablo Schifini, Hugo Corbella, todos andinistas con inquietudes de renovación en la técnica y en
los equipos que habrían de usar en sus expediciones al hielo continental. Horacio Solari y Jorge Marticorena eran la
cordada pesada que se demoraba horas para hacer una ruta nueva a las ventanas superiores de la fábrica.

Una dificultad extra se añadía continuamente a la escalada en Escobar: la policía había prohibido el uso de la fábrica para trepar. Por eso, cada tanto, una destartalada bi-
cicleta portadora de un agente de la autoridad, aparecía por
entre los baches del pavimento, circunstancia entonces que
nos obligaba a desaparecer entre los arbustos.

Lo difícil era esconder a la gente que había tenido la
mala suerte de estar en esos momentos en la pared. Creo
que desde ahí todo el mundo en el CABA tenía una habi-
lidad particularmente desarrollada en hacer *rappeles* fulminantes... El grupo polaco era bastante respetado por haber realizado varias expediciones a Mendoza y a la Patagonia. Eran para todos los primerizos, los portadores de la
verdad en materia de montaña y seguíamos, ávidos de
aprender, todas sus evoluciones en la escalada. Eduardo
Klenk, Pablo Dudjinski, Jorge Peterek eran algunos de
ellos.

Aunque parezca fantasía, en la misma fábrica se dictaban cursos de hielo. Gerardo Watlz se encargaba de darlos,
y utilizaba las barrancas naturales de tierra dura. Gerardo
había participado pocos años antes en la malograda expedición del teniente Ibáñez al Dhaulagiri (Himalaya). Hom-

bre de mucha experiencia en montaña, su óptica simple y maneras de enseñanzas castrenses quedaban grabadas a fuego e imposibles de olvidar. Su modo objetivo de ver los problemas en la montaña influyó luego en el mío propio.

Sierra de la Ventana

Todos los fines de semana largos los aprovechábamos para ir a Sierra de la Ventana. Dado que Buenos Aires carece de una buena ubicación respecto de las zonas montañosas, las más próximas eran las tímidas elevaciones del cerro Tres Picos en el partido de Sierra de la Ventana en la provincia de Buenos Aires. Allí íbamos cargando gigantescas mochilas que sólo la juventud, inexperiencia y entusiasmo hacían que pudiéramos llevar.

Con Marcelo Costa y Pablo Schifini realizamos interminables recorridos por sus cañadones. De esa época guardo un recuerdo: pasábamos con Pablo por debajo de una gran pared llamada Del Techo y él me la señaló con respeto comentándome que alguien había abierto una ruta en sus laderas. Esa pared me parecía lisa e imposible de escalar, y a esos *alguien* los tuve como superhombres.

Por nuestra parte, trepábamos cuanto bloque nos permitiera ensayar algunos pasos fáciles. Todas estas salidas iban formando un sentido del esfuerzo que me llevaba a aprender a administrar las energías que no me sobraban.

También conocí el uso de los clavos, martillándolos siempre que podía en las fisuras que encontraba. Los clavos eran de diferente medida, con una anilla en la cabeza y se colocaban según el tamaño de la fisura. Esa experiencia llevaba tiempo hasta dar con el tamaño acertado. En la anilla del clavo había que colocar otro elemento fundamental: los mosquetones, que son otra especie de anilla con cierre automático que junto con la soga se enganchaba en el clavo. Esto servía para quedar colgado en caso de una caída... siempre y cuando el clavo aguantase.

Las excursiones duraban por lo general tres o cuatro

días; y durante ellas vivíamos en las cuevas naturales que abundan por esas sierras.

Otro tema era el de las comidas, que hubieran despertado el horror de los nutricionistas y deportólogos actuales. Los menús se reducían a lo que sabíamos hacer: fideos con manteca o la simple apertura de una lata de conserva.

A medida que transcurrían las excursiones innovábamos lentamente; derivamos en polentas, arroces y algún tímido postre que casi siempre comíamos quemado.

Por ese entonces éramos enemigos de las mujeres en la montaña; las considerábamos un estorbo que evitábamos a cualquier precio, y esta aversión persistió durante años en mi carrera andinística hasta que me rendí ante la evidencia de su valor.

Una Semana Santa en Córdoba

En abril de 1956, con Marcelo Costa decidimos ir a Córdoba con el proyecto de subir todos los picos del cordón de la Sierra Grande; el hecho de que fuera una extensa travesía, implicaba que tendríamos que permanecer en las alturas como mínimo una semana. Esto me alarmaba un poco, pero luego de escalarlas me resultó una aventura maravillosa. La niebla característica de la sierra hizo que desarrolláramos mucho el sentido de orientación y controláramos la inquietud de sentirnos perdidos.

Practicábamos en todos los reducidos mogotes que tutelaban el Champaquí (2.800 m) y sus cumbres aledañas. Luego de ocho días de este trajín me encontraba por primera vez seguro en la escalada.

Nueva ruta en el Cerro de la Cruz

Jorge Insúa, Andrés Bukowinski, Jorge Peterek y Pablo Duszinski habían inaugurado una nueva ruta en la pared oeste del Cerro de la Cruz; ascendiendo por un gran diedro que divide la cara en dos, lograron resolver uno de los problemas técnicos que comenzaban a nacer en Los Gigantes.

Esta ascensión representaba un desafío al que no podía sustraerme; me sentía suficientemente confiado en la técnica de mi escalada, no así en mi espíritu. En esta etapa de mi desarrollo los mitos y tabúes ocupaban un lugar importante y me preocupaba el problema de cómo eliminarlos. Sólo había una salida: ir al encuentro de ellos.

Marcelo debía volver a Buenos Aires y no podría contar con la posibilidad de su compañía en el Cerro de la Cruz. Edgardo Grundke vivía en Villa Allende y allí fui para interesarlo en el proyecto. Esgrimiendo diversos argumentos de los que ni yo mismo estaba convencido, decidimos que valía la pena hacer una prueba. De este modo salimos de la ciudad de Córdoba en dirección a Los Gigantes, dispuestos a combatir cada uno sus propios temores. Algunas horas en ómnibus y luego de dos caminando, acampamos en la pampita de la base de la pared.

La cumbre de los quince años

La ruta que lleva a la cumbre, de ciento veinte metros de altura, lucía lisa y excepcionalmente impracticable para nuestras posibilidades de aquel momento. Desde un punto de vista técnico podíamos subirla. Sin embargo, enfrentaba un problema psicológico, un conflicto interno que tenía que resolver. Descansamos el resto del día buscando tranquilidad y al siguiente, no muy temprano y con buen tiempo, comenzamos la escalada.

Lo recuerdo como si fuera hoy: controlo mi excitación, asciendo por un pequeño diedro de veinte metros; entonces aseguro a Edgardo que, con su pelada rubia, se esfuerza en los primeros metros, luego se afirma y llega sin mayores problemas al lugar donde estoy. De allí encaramos una travesía no muy difícil que nos deja en la olla, una depresión en la pared que preside el paso más delicado de toda la ruta.

Me aseguro y me enfrento con la tan mentada laja. Estoy nervioso porque tiene fama de muy difícil y temo no estar a la altura de las dificultades; prevengo a Edgardo antes de moverme.

Las sogas que usábamos en aquellos tiempos eran de cáñamo, muy diferentes de manejar que las actuales y poco resistentes a la caída de un individuo. Además no resultaba fácil el deslizamiento sobre la roca debido a su áspera superficie. Todo esto contribuía a hacer más difíciles las maniobras.

Deslizo la mano hacia la derecha buscando apoyo y encuentro un pequeño grano de roca adherido a la pared, suficientemente grande como para pellizcarlo buscando apoyo; luego muevo el pie y, sin notarlo, estoy del otro lado...

¡Me siento en el cielo! Invadido por una onda de optimismo que me impide gritar de júbilo. ¡La dificultad casi no existe! Después de eso podría escalar las rutas más difíciles catalogadas de VI grados (graduación para los pasajes más extremos).

Sentía que todo un horizonte se abría para mí en ese momento.

Atropellamos el resto de la pared con ritmo de locomotoras y en tres horas y media finalizamos la escalada, que los primeros ascensionistas habían hecho en doce.

Al llegar a la cumbre tenía quince años.

II. LA PRIMERA CUMBRE

Una vez en Buenos Aires, con toda la excitación del logro obtenido en el Cerro de la Cruz, empecé a planificar, en estado febril, el verano 1957-1958, en Bariloche. De hecho había algunas rutas en forma de torres que no había escalado. Una de ellas era el Campanile del Catedral.

Antes de fines de 1957, la FASA (Federación de Ski y Andinismo) organizó un curso e invitó a dos miembros de cada club afiliado. Tuvo muy buena respuesta y nos juntamos unas treinta personas provenientes de los lugares más lejanos.

El curso lo dictaría Carlos Sontag, único guía profesional de aquellos años. Antes, tuve que convencer al director del colegio para que me dejara ir. Con el permiso en la mano alcancé a tomar el tren de segunda clase con el resto de los participantes. Salteños, jujeños y tucumanos con sus cajas norteñas, quenas y charangos, condimentaban el ambiente con su simpatía característica. El curso fue un éxito no sólo por lo que aprendimos sino por las amistades que se hicieron en esos veinte días de convivencia.

La pared norte del cerro López fue el escenario para la escalada en roca. De allí fuimos a los ventisqueros del Tronador para cumplir con las enseñanzas sobre hielo. Entonces se desató una lluvia sin intermitencia y comenzaron las deserciones.

Ésa fue la primera vez que me ponía los grampones. El hielo, absolutamente duro, hacía muy difícil caminar con rapidez.

Anselmo Weber, Mario Piccoli y Luis Baudaz eran los ayudantes de Carlitos Sontag y con ellos hice muy buenas migas. De esta amistad nació el proyecto de ir, apenas terminado el curso, a Esquel para intentar escalar la cumbre principal del cordón Pirámides en la que aún nadie había tenido éxito.

Hasta entonces sólo había trepado en roca y no me sentía cómodo en los glaciares. Pero tuve que aprender, igual que lo hice con el esquí más adelante en Europa.

En la fiesta de despedida, conocí a Dinko Bertoncelj, gran escalador esloveno del que, en el futuro, tomé cosas esenciales de la escalada.

Una dura experiencia

Una hora antes de salir el tren, Mario y Luis decidieron viajar a Buenos Aires a pasar unos días en mi casa. Luis no conocía la capital. Con mi excesiva juventud, no estaba acostumbrado a los zarpazos del destino; pero allí se dispuso que tuviera el primero.

Cuando el tren aminoraba su marcha, llegando a la estación Ingeniero Vinter, Luis se desplazó en dirección de la salida del vagón. Luego de unos momentos, escuché un golpe sordo y vi por un instante un bulto que pasó por el exterior de mi ventanilla. Me abalancé a la salida y allí estaba Luis entre las ruedas de los vagones de cola. Lo había golpeado la columna de abastecimiento del agua.

Esta desgracia representó para mí, además de la pérdida de un amigo, mi primer contacto con la muerte y me invadió una gran indignación pues no comprendía la proporción entre el hecho y sus consecuencias.

Este accidente y varios más que se sucedieron a lo largo de mi vida, hicieron que me fuera insensibilizando ante el espectáculo de la muerte, no así ante la pérdida de las personas.

En el triste regreso con los restos de Luis a Bariloche, con Mario decidimos que la expedición al cordón del Pirámides sería una manera de honrar la memoria de nuestro amigo y bautizar con su nombre la cumbre que pensábamos escalar.

Expedición al cordón del Pirámides

En diciembre de 1958 nos embarcamos con Anselmo y Mario en un pequeño bote a orillas del lago Futalaufquen para llegar luego al Krüger, punto más próximo de desembarco al objetivo. Nos acercábamos poco a poco, y Anselmo estalló en exclamaciones de júbilo al ver aparecer, detrás de una curva del lago, el esperado cordón del Pirámides: eran cinco torres de granito negro enclavadas en la cima de un glaciar colgante; la figura era impresionante y, sin lugar a dudas, una montaña espectacular. Desembarcamos y despedimos el bote fijando el regreso en dos semanas. Nos dirigimos a la desembocadura del río Krüger y avanzamos por una senda entre vacas y meandros. Al día siguiente nos ocupamos del transporte de todos los equipos a un punto adecuado para instalar el campamento base. Como consecuencia de las abundantes lluvias, tradicionales en esta región, se había formado una selva enormemente cerrada y densa de colihue. Esta caña es tan vigorosa que impide el paso y es preciso una verdadera lucha para poder avanzar. Instalamos dos carpas, arrulladas con el rumor del río que bajaba caudaloso. Continuamos con el transporte de material para el segundo campamento que intentaríamos instalar en el cruce del arroyo Castillo.

La travesía del bosque con las cañas de colihue fue una lucha a brazo partido. Buscábamos avanzar por el camino más adecuado, pero muchas veces teníamos que desandar lo andado. Por momentos parecía que estábamos en medio de una pesadilla. La mochila demasiado pesada, el tizne de la madera quemada, los pozos cubiertos de maleza en que repetidamente caíamos, los tábanos y la incertidumbre de no saber por dónde íbamos, hacían que realidad e infierno fueran una sola cosa. Nos ayudaba a avanzar la existencia de troncos de árboles caídos, sobre los cuales podíamos caminar. Mario encontró una combinación de cinco troncos derribados que bautizamos como el tramo Plaza Italia-Carlos Pellegrini, aludiendo a la línea de subterráneos de la Capital Federal.

A los pocos días no quedaba vestimenta sana; sólo harapos.

En una oportunidad empezamos a escuchar un rumor muy tenue de algo parecido a un arroyo y nos ilusionó pensar que era el Castillo.

En esos momentos me asaltaba la mente un pensamiento que se repite en mí siempre que me encuentro en situaciones límites: cuando estoy agotado hasta la médula, física y anímicamente, quiero encontrar una explicación razonable de las motivaciones para continuar en tamaña situación de esfuerzo. Llego a preguntarme si el trabajo que estamos realizando tiene algún sentido y cuál será. Las sucesivas y permanentes experiencias me han llevado a la conclusión de que es entonces cuando se refuerza la voluntad y se desarrollan mecanismos internos de tenacidad, constancia y, casi diría, obsesión, para concretar proyectos de ascensiones cercanas a lo irracional.

Cuando las sombras se adueñaban del bosque, tropezamos con el anhelado Castillo. Como esa noche llegaba el Año Nuevo y queríamos festejarlo de alguna forma civilizada, nos lavamos en el torrente. Yo sumergí disimuladamente una botella de sidra que había traído y sorprendí a mis compañeros a la medianoche. Hicimos un gran fuego y secamos lentamente el área del campamento haciéndolo más confortable. Por fin habíamos llegado a este paraje que está a mitad de camino del comienzo del glaciar.

En el campamento repusimos energías, lavamos y cosimos ropa. Manteníamos alta la moral no obstante la cantidad de dificultades que se habían presentado.

Filosofar en el bosque

Yo sacaba mis buenas conclusiones: personalmente, dada la particular manera de ver en forma positiva las cosas, pensaba que esta dificultad en la progresión me estaba enseñando, primero, a no ser impaciente y querer llegar rápidamente a la cumbre; que las montañas se suben dando el primer paso y luego el segundo, y así en lo sucesivo hasta lograr el resultado; y que de nada vale obsesionarse con la cumbre si no estamos dispuestos a resolver cada uno de los interminables esfuerzos para llegar a ella.

Descendimos al campamento base he hicimos un último transporte y quedó definitivamente equipado para no tener que volver atrás; le pusimos por nombre Castillo.

Los días transcurridos instalando los campamentos, las continuas subidas y bajadas, habían endurecido nuestro físico y habían fortalecido nuestra decisión de continuar hacia el objetivo.

El bosque se tornaba más virgen e impenetrable. Al llegar al río Pirámides, en lugar de playitas encontramos taludes cortados a pique por la corriente de agua.

Nos quedaba un cruce del río que resultó bastante penoso pues el agua, proveniente de deshielo, estaba a cero grado. Después de cruzar yo, con la soga cruzamos las mochilas, pero tuvimos un percance: no habíamos caído en la cuenta de que las cuerdas de cáñamo mojadas se estiran mucho más y, una vez que estuvo mi mochila en el camino, cedió tanto que se sumergió en el agua. Desesperado tiré de la soga todo lo que pude, pero era tarde. Mi mochila, mantenida seca a fuerza de muchos esfuerzos, con la primorosa bolsa de dormir, se mojó totalmente. Subimos las cuerdas para evitar otros percances. Después cruzaron Anselmo y Mario y, recién entonces, ¡¡¡Anselmo nos comunicó que no sabía nadar!!! Pero mojándose en parte y aferrado a la cuerda, llegó felizmente a la otra ribera.

Mientras tanto comenzaba una garúa que finalmente se convirtió en una copiosa lluvia. No obstante habíamos encendido un buen fuego que ayudó a recomponer nuestra temperatura interior. El azúcar que protegíamos tanto de la humedad se convirtió en melaza que había pegoteado el resto de las cosas. No faltaban temas para divertirnos en medio de los dramáticos hechos que se desarrollaban.

Apagamos lo que quedaba del fuego y partimos. En esta orilla el bosque era más abierto; habíamos salido ganando con el cruce, además el valle se había transformado en una especie de meseta bastante extendida. Las cosas iban mejorando. Teníamos el propósito de encontrar una gruta donde habían acampado los del Club Andino Esquel. Después de una intensa búsqueda, fue Mario el que la encontró. Una losa de piedra de regular tamaño, extendida sobre el vacío, conformaba un alero generoso para acampar debajo. Seco y resguardado del viento, era un lugar ideal para instalar el campamento tres. En su interior y colgada de una fisura encontramos una bolsa con fideos y azúcar que se habían mantenido en buen estado durante 4 años. Hallamos, además, una nota escrita por René Eggman en la que deseaba suerte a quien intentara el Pirámides y se despedía con un somero relato de su expedición.

Nos instalamos con comodidad, había espacio suficiente como para hacer un buen fogón y otro lugar para dormitorio. Por más que anhelábamos reconocer el acceso al glaciar, que se adivinaba muy cerca, estábamos destruidos como para seguir adelante. Por lo tanto, nos dedicamos a recuperar fuerzas y a esperar hasta la mañana siguiente. Pasamos una noche llena de interrogantes: al otro día estaríamos mejor y luego podían ocurrir muchas cosas, que esperábamos con optimismo. Ya habíamos remontado todo el valle del Pirámides con sus interminables cañaverales. Sólo nos quedaba atravesar los glaciares y arribar a la cumbre, todo en escalada. Teníamos intenciones de hacer un vivac sobre el glaciar y escalar desde allí la cumbre del Pirámides.

Expectativas ante la escalada

El tiempo parecía haberse compuesto definitivamente, después de la intensa lluvia. Por la tarde recorrimos los alrededores para buscar la ruta al glaciar; un pequeño cañadón que ascendía en su dirección nos hizo pensar que sería la ruta para el día siguiente. Abandonamos la cueva casi de madrugada. Como ya lo habíamos experimentado, esas primeras horas no son las de mejor humor para comunicarse. Marchábamos en silencio, metido cada uno en sus pensamientos; no hablábamos, sólo caminábamos. A medida que la mañana avanzaba, y el sol nos alegraba la vida, las condiciones iban cambiando y aparecía el buen humor. En un momento comenzamos a notar que el cañadón se iba acercando peligrosamente a la barrera de seracs con que termina el glaciar y, cada tanto se desprendían algunos trozos de hielo. Aceleramos el paso lo más posible para salir de esa situación, y además nos manteníamos alejados uno de otro. Demoramos una hora para salir del cañadón, tiempo que se nos hizo interminable. Agradecimos nuestra buena suerte y nos concentramos en el camino que faltaba para salir del *plateau*. Tendríamos que atravesar un cono de avalanchas que aparentemente no tenía mucha actividad pero merecía respeto. Luego nos esperaba un canal de roca pulida donde fluía una caída de agua; pensar en atravesarla no parecía muy placentero.

La tarde se nubló y a esa altura se convirtió en niebla dentro de la cual en pocos minutos estaríamos inmersos. La meteorología en la montaña es un elemento decisivo para el éxito y es preciso aprender a interpretar las señales.

El escenario se había transformado; dejado ya el límite de vegetación, estábamos ahora penetrando en la alta montaña. El ambiente severo y por momentos dramático de la altura hace que los factores psicológicos se alteren, de un modo o de otro según la persona. Puedo describir la alteración que se produce en mi: en esta transformación actúo como hipersensibilizando las sensaciones, potenciando las convicciones y motorizando la voluntad. Observo que ese singular ambiente me convierte en una persona bien diferente de aquella del *llano*. Un amigo (el pirata Misson) de muy fina percepción decía que arriba de los 1.200 metros era otra persona. Con los años le he dado la razón.

Cuando llegamos al canalón con la *ducha* cambiamos las

indumentarias con la idea de salvarnos en cierto modo del chaparrón, pero evidentemente las ilusiones fueron vanas. Tratamos de salir cuanto antes de esa sección. Llegamos a una rampa de nieve compacta, donde la pendiente se suavizaba mostrándonos el espectáculo por tanto tiempo anhelado: la visión cercana de las torres del Pirámides. A partir del granito negro surcado con canales repletos de nieve, emergían entre nubes que parecían retorcerse. Cada una de las cinco torres tiene sus características propias y dan la sensación de no pertenecer al mismo cordón.

La cumbre elegida, decorada con un glaciar que trepa bastante alto sobre su frente, nos daba la posibilidad de que al ascender por él, nos llevara bien arriba y pudiéramos ver desde esa altura qué nos ofrecía la cara oculta de la torre final. Si bien factible, la faz que observábamos desde allí, presentaba un diedro bastante duro de escalar. Pero dejamos estas disquisiciones para el día siguiente y nos dispusimos a instalar lo mejor posible el vivac. Limpiamos las piedras detrás de un pequeño muro para formar, en un descanso, un lugar plano para acostarnos. Luego de unos instantes de labor terminamos con un balcón bien confortable y con vista a las torres. El panorama era soberbio. El *plateau* poco agrietado invitaba a recorrerlo, cosa que esperábamos poder hacer al otro día en el camino a la cumbre. Comimos lo que habíamos traído y tomamos agua depositada en algunos agujeros de las rocas cercanas al vivac.

La noche tan nublada como oscura no presagiaba nada bueno. Nos pusimos encima todo lo que teníamos para abrigarnos, e intentamos dormir. Anselmo, a juzgar por sus ronquidos, logró pleno éxito; Mario se quejaba de un dolor en la espalda que lo venía molestando desde que cruzó el río, y yo dormí con un solo ojo. El otro estaba fijo en el cielo atendiendo el desarrollo del tiempo. Quería partir... hacia arriba.

El último esfuerzo

Cuando creí que había llegado la hora abrí el otro ojo y comenzamos a ponernos en condiciones. Endurecidos por la pésima noche, tardamos una buena media hora en componernos y ordenar el material necesario para la escalada.

Ese día estrenamos una preciosa soga de nailon recién salida de fábrica. Medía 80 metros y era bicolora. Encordados con ella y tratando de no pisarla nunca con los afilados grampones, comenzamos con los tramos iniciales del glaciar.

Al mediodía llegamos al filo; un pequeño col nos permitió asomar a la vertiente opuesta y reconocimos la cara oculta del cerro Pirámides propiamente dicho: una torre de cien metros, de granito gris bastante sólido, con una cinta ascendente de piedra suelta. Ésta sería nuestra ruta. Mis zapatos de cuero Mastrosanto estaban hechos una *lágrima*: estaban empapados y más no podían pesar. Apenas logré controlar la envidia que me dio Anselmo cuando al llegar al pie de la torre sacó un par de zapatillas de básquet y se cambió los antiguos tricuni que calzaba.

Como usaba zapatillas, Anselmo era el encargado de encabezar la ascensión. El desplazamiento lo llevó naturalmente hacia el final de la pared de unos ochocientos metros que caían al río Frey, bien abajo en el valle.

Este largo era alucinante: no muy difícil pero de una exposición increíble. Sabíamos que la cumbre no podía estar lejos y eso se notaba en nuestras expresiones. Yo demoraba intencionalmente mis movimientos deteniéndome a grabar los sentimientos que vibraban en un estado de felicidad. Una sola nube con forma de cigarro se suspendía sobre el horizonte donde creía adivinar el Pacífico. De los valles ascendían los rumores de los torrentes y ni una brisa movilizaba el aire. El granito por donde trepábamos reflejaba matices de variados colores. Así, con serena ilusión, Anselmo pisó la cumbre, luego Mario, y por último, lenta y suavemente, me reuní con ellos.

Era mi primera montaña, nuestro primer éxito, y queríamos retener el momento. Nos felicitamos mutuamente, no solamente para dar curso a nuestra alegría, sino para comprobar que esto era cierto y nos estaba sucediendo a nosotros. En ese momento surgió el recuerdo de Luis Baudaz, a quien dedicábamos este triunfo. Abrí una caja de sardinas que no tuvo mucho éxito, pero la lata nos sirvió para poner dentro un papelito borroneado escrito con nuestros nombres y la fecha que creíamos que era: doce de enero de 1958.

III. LAS TORRES DEL CATEDRAL (1958)

De regreso a Bariloche, después de la experiencia del cerro Pirámides, había llegado el momento de las Torres del Catedral. Estaba yo con dos atractivas rubias, a la espera de algún vehículo en El Maitén, de modo que era más fácil que se detuviera alguien. Y no me falló el cálculo: un desvencijado rastrojero detuvo la velocidad junto a nosotros. Del vehículo descendieron dos individuos y no nos extrañó nada que bajaran de ese rastrojero. Intercambiamos saludos; eran Jochen Groos y Labib Helou que regresaban del lejano Lago Argentino luego de una fallida expedición al cerro Murallón.

Viejos socios del CABA, tenían en su haber una serie de episodios montañísticos y Jochen deseaba seguir con el plan de escaladas, no así Labib a quien lo esperaba su esposa en Bariloche. Seguimos viaje por el cañadón de La Mosca y aproveché este tramo para proponerles que me incluyeran en los proyectos en Bariloche y, de ser posible, en el Catedral. Les pareció una buena idea, con gran ilusión de mi parte, que desde ese momento contaba con compañeros de escalada.

Continuaba con el problema de los zapatos pues los Mastrosanto habían pasado a mejor vida; Labib me prestó los suyos, pero yo necesitaba un número más, así que seguí con las ampollas en los pies, que siempre estarán presentes al recordar aquellas jornadas. Cuando llegamos a Bariloche, Labib continuó con su plan de esposo fiel y Jochen, Iowa, Kika -las rubias de ojos azules- y yo continuamos viaje al refugio del Frey, al pie de las agujas, en una magnífica tarde de fin de temporada.

Con Jochen, una excelente cordada

Las torres, de granito compacto y sano, ofrecen buenas fi-

suras para colocar sólidos clavos; constituyen así un verdadero paraíso para el trepador. Todas las dificultades se encuentran en ellas y para aquella época sólo se habían intentado tres de las rutas de ascenso más sencillas. La primera
fue la cumbre principal. Con un desnivel de 120 metros se
habían probado las técnicas más curiosas para lograr trasponer un monolito compacto, sin fisuras ni tomas de unos
cuatro metros de altura que precede la cumbre. Hasta habían intentado tirando un ancla con la esperanza de que
enganchara en alguna roca, pero los resultados fueron ne-
gativos y muchos se frustraron.

En Gustavo Kammerer fue el primero que puso el pie en la
cumbre el 11 de febrero de 1943. Se había valido de una novedad para la época: los clavos de expansión. Este sistema
consiste en perforar un agujero con una mecha de acero
duro y con el diámetro exacto de un clavo corto que se in-
troduce una vez terminado. El agujero, de no más de dos
centímetros de profundidad debido a la dureza del granito, es perforado a martillazos. Se trata de una operación
lenta que necesita, a la vez, energía y paciencia. La experiencia, que se debió a Pablo Fischer, albañil y compañero
de Kammerer, sirvió para resolver los últimos metros de la
torre principal.

La segunda aguja en ser ascendida fue la que se llamó el
Campanile Esloveno por el origen de los autores. El 13 de
febrero de 1952, Domingo (Dinko) Bertoncelj y Francisco
Jerman, de la misma nacionalidad, coronan la ascensión,
considerada como la más difícil realizada hasta entonces
en el Parque Nacional.

Comenzar por la más difícil

Con Jochen creíamos estar en excelente forma para comenzar por la más difícil. Partimos algo ansiosos, con la
compañía de Iowa y Kika; ellas nos dejaron en la base. Llegamos al comienzo de la ruta después de unas horas de
aproximación. Había leído hasta el cansancio la descrip-

ción de los detalles que conformaban la ascensión hasta la cumbre, cien metros más arriba. Empecé con el primer largo, luego Jochen y así sucesivamente en un alternar continuo.

Fuimos encontrando viejos clavos que nos confirmaron el acierto del camino; uno de ellos me quedó grabado en la memoria. Se trataba de un Dediol (marca de un clavo mendocino) colocado en la salida de un extraplomo del primer largo, particularmente aplastado y en muy mala posición; no obstante, había que usarlo porque era la única posibilidad de enganchar un estribo para superar un paso muy expuesto. Este clavo tuvo su historia, pues de el cayó, años más tarde, Teodoro Cifuentes, alias el gringo, sargento del ejército de montaña con quien escalamos juntos varias de estas agujas y del que guardo un entrañable recuerdo por su calidez humana.

Volviendo a Jochen, teníamos naturalmente una coordinación de tanta calidad, que me llenaba de alegría por la limpieza de las maniobras; era, indudablemente, un compañero lleno de cualidades. El mutuo entendimiento nos llevó a avanzar tan rápido que en dos horas estuvimos en la cumbre. Pero el ser humano es insaciable y este breve ascenso nos dejó un algo de insatisfacción por no haber encontrado más dificultades.

Comprendía que la escalada y el juego de la montaña consistían en descubrir sobre terreno desconocido un itinerario en el cual desarrollar toda la inventiva, creatividad e ingenio. Y al comprobar la facilidad con que lo lograba, experimentaba confianza en mis condiciones y me animaba a ensanchar más los horizontes personales.

Como los maestros de otras épocas, que habían dejado impresas sus hazañas, también nosotros dejábamos nuestra impronta en estos nuevos modelos.

Felices del resultado, nos retiramos con algunos *rappeles* al refugio donde nos esperaban nuestras amigas. Con Iowa había comenzado un incipiente romance que me hacía reconsiderar el criterio de que las mujeres en montaña eran un estorbo; terminé convencido de que no siempre era así.

Nos quedamos unos días haciendo nada. Nos bañábamos en la laguna del refugio, tomábamos sol y vagabundeábamos por el verde mallín del fondo del valle. El refugio Frey era muy poco visitado en aquellos días, tan poco que ni refugiero tenía. Los que se alojaban debían cocinar, limpiar y también buscar y hachar leña. Transcurrido un breve tiempo, comenzamos a sentir el característico escozor en la punta de los dedos, que indicaba que teníamos que iniciar nuevamente las escaladas.

La Torre Principal es una escalada de cuarto grado de dificultad en la escala europea (del 1 al 6), rodeada de un espléndido paisaje. Son cuatro largos de cuerda en los que se disfrutan todas las técnicas de escalada libre: oposición, *dülfer*, chimenea y placa. Allí fuimos, no muy temprano, en una soleada mañana. Ascendimos por entre torrentes de pequeñas caídas de agua que provenían del deshielo de las nieves tardías de aquel verano corto o de un invierno muy nevador. Luego de una hora de pedrero nos detuvimos en un rellano limpio de rocas donde se encuerdan las cordadas que intentan la ascensión.

Las zapatillas de Wenceslao Clerch

Allí encontramos, escondidas dentro de una fisura, un par de zapatillas de básquet que, a juzgar por su estado, debían llevar años a la intemperie. Después nos enteraríamos de que eran de Wenceslao Clerch, figura señera de los albores de la escalada en Bariloche. Cuando descendía de sus muchos intentos a la Torre, acostumbraba dejar sus zapatillas en ese lugar. Clerch murió en el Tronador, acarreando chapas para la construcción de un refugio esloveno. Su gente querida testimoniaba su recuerdo conservando estas zapatillas en el lugar elegido por Wenceslao. Unas viejas latas de conservas nos hablaban de intentos y de éxitos de nuestros predecesores. Antiguos campamentos en los que seguramente sitiaban la ansiada Torre hasta consumar la victoria. Me gustaba compenetrarme con los escaladores que habían sido nuestros predecesores, imaginar su espíritu montañés, sus metas y sus resultados, tratando de compartir sus experiencias.

En ese lugar nos encordamos y nos despedimos de Iowa y Kika. Confieso que para ese entonces Iowa me tenía completamente *dado vuelta*. Rubia, de ojos celestes y, para colmo, con sensibilidad por la montaña; esto hacía que me fuera imposible no enamorarme.

Jochen salió disparado por el primer largo. Sin dudas era escalador excelente: flaco, fuerte y liviano, resumía todas las características de un atleta de la montaña. Con este lujo de compañero me sentía capaz de ir a cualquier parte. Pero también era muy exigente, por lo tanto debía moverme rápido y seguirlo con las maniobras de sogas, cuidando que no se enredaran a causa de la velocidad con la que corría. Llegué al relevo del segundo largo con la lengua afuera.

Procuré que no se notara mi agitación y, sin demora, me zambullí en la fisura inicial. Era muy estrecha e incómoda y me costó bastante encontrar la posición para avanzar. Una vez lograda, pasé como una exhalación por el nicho. En vez de ir a la izquierda como correspondía a la ruta, seguí directo hacia arriba; me trabé un poco y superé el paso. Parecía que hacía segundos que habíamos comenzado la escalada, y con esa prisa continuaría hasta llegar a la cumbre. Mi hábito de no usar reloj me impidió saber cuánto habíamos demorado en hacer la ruta, pero seguramente había sido menos de una hora.

En ese tiempo había en la cumbre un cuaderno en el que se registraban todas las ascensiones con un pedazo de lápiz negro muy chiquito. Se encontraba atadito con un piolín dentro de una pesada caja de hierro; boca abajo, esta reliquia que por años estuvo allí, se conservaba seca. Nuestra ascensión era la número 16 que registraba la cumbre.

Llegamos al refugio radiantes de felicidad y partimos,

en lo que quedaba de esa tarde, a subir la aguja Frey. Se trataba de una corta escalada que acabamos a oscuras en el final de un día glorioso.

En palabras de Carlo Botazzi -primer ascensionista de
esta aguja- "habíamos subido en pocos días, toda una época de las escaladas en Catedral". Carlo, junto con Clerch,
habían hecho la primera ascensión de la Frey utilizando
una muy prolija fisura con depurada técnica del artificial.
Italiano de origen, era toda una figura dentro del ambiente local de pioneros de la escalada.

Nace una ilusión

Descendimos del refugio tan contentos, que inmediatamente comenzamos a trazar planes ambiciosos para el futuro. Mencionamos el Fitz Roy casi en un susurro, pero poco a poco empezó a tomar forma en mis ilusiones; comencé a imaginar posibilidades, y quedó muy en el fondo de mis
pensamientos. Con esta idea bien enraizada en mi cabeza,
cada paso que daba en la montaña, era como una preparación más en mi mente hacia esa cumbre que representaba
para todos los andinistas y para mí de un modo particular,
el ideal estético y deportivo de una montaña.

Luego de ese verano en Bariloche iba con frecuencia a
Sierra de la Ventana, me entrenaba, adquiría experiencia
en el uso de los clavos y me exigía al máximo en la escalada libre. Conocía bien el modelo de escalador en el que debía formarme. Tenía una idea muy clara cuanto más veloz
pudiera trepar, menos probabilidades tendría la montaña
de atraparme. El clima en las alturas es de una dinámica
tal, que hace peligrosa la escalada. La tormenta llega imprevista y en un instante; debía por lo tanto, escalar lo más
rápido que las normas de seguridad lo permitieran. Era
preciso que lograra ser lo mejor posible en escalada libre.
Con el tiempo y las circunstancias iría mejorando el artificial.

Comencé a abrir diversas rutas en las otrora tan respeta-

das paredes de El Techo, La Rosada, Las Lajas Invertidas, etcétera. Poco a poco desarrollaba el sentido del equilibrio, dominaba la ansiedad que produce la exposición a las alturas y
aprendía a administrar las energías que habría de necesitar
en escaladas más largas. De todos modos, estas escaladas
eran actividades muy distintas de aquellas en las que yo tenía puesta la mira.

Trepar en condiciones de verano como se hacía en Sierra
de la Ventana era totalmente distinto de hacerlo en la alta
montaña; son condiciones muy diversas las que deben enfrentarse en cada caso. Debía ejercitar el factor psicológico
tanto o más que el factor técnico para habituarme a esas
otras circunstancias.

Entonces decidí conocer la realidad de la cordillera del
noroeste argentino.

IV. EL NEVADO DEL CHAÑI

El Nevado del Chañi es el cerro más elevado de la provincia de Jujuy. Con sus 6.250 metros se encuentra aislado y alejado de cualquier ruta o población serrana.

Hacia fines del verano de 1958, llegué a la estación de San Salvador y vi en el andén a Jaime Miranda, que había ido a recibirme. Jaime fue uno de mis compañeros del curso FASA en Bariloche en 1957, junto con Paco Solanas que también estaba en la estación. Habíamos desarrollado una relación que iba más allá de nuestra diferencia de edad - ellos eran mayores por lejos- y de una concepción de la montaña muy diferente.

Los norteños limitan su actividad de montaña a sus regiones, y salen muy pocas veces fuera de ellas. No eran escaladores ni querían serlo; se trataba simplemente de montañeros que amaban sus paisajes puneños y se relacionaban con su tierra con sentimientos muy profundos, ancestrales diría, heredados de sus raíces folklóricas y de aquella diosa madre, la Pachamama.

Luego de algunos días de *aclimatación* en la ciudad donde fui agasajado como sólo los jujeños saben hacerlo -vino, tamales, cayote y nuevamente vino-, y antes de sucumbir a tanta hospitalidad, partí en un ómnibus rumbo a mi objetivo.

Con una mochila de regular tamaño, comencé mi aproximación recorriendo el valle de la Laguna del Tesoro. Por su orilla izquierda, a través de una senda bien marcada debido al continuo tránsito de animales, fui ascendiendo, agobiado por tanto peso, en busca de las primeras casas de unos arrieros que debían estar a unos 10 kilómetros de esta laguna y sobre este valle.

Estaba solo por propia decisión. Quería ser testigo solitario de mis esfuerzos, y confrontarme íntimamente con mis fatigas, logros y también con mis temores. Además, de este modo, me integraría con más facilidad a los pobladores de estas alturas.

Mientras me arrastraba penosamente al ascender la ruta, se me hacían patentes los excesos vividos con mis amigos en Jujuy; lo estaba pagando caro. Mi estado físico era lamentable y no obstante una esmerada selección de todo lo que fui colocando dentro de la mochila, ésta parecía pesar una tonelada.

El sol, implacable a esas horas y con el verano que no había terminado -estábamos a fines de marzo- me martillaba en la cabeza sin piedad. También la altura se hacía notar: a sólo 2.200 metros, hubiera dicho que estaba cerca de los 8.000. La senda iba acomodándose, con una sabiduría de años, a las irregularidades del terreno. Sorteaba faldeos abruptos, cruzaba arroyos y, cuando era preciso, ganaba altura. A las dos horas de marcha no quedaban rastros de vegetación a la vista. La aridez de la Puna comenzaba a enseñorearse del panorama.

Cada tanto observaba en el camino huellas de neumáticos que me intrigaban pues parecía imposible un transporte con ruedas en esos parajes. No lograba entenderlo, ni aun pensando en motos o bicicletas.

El puesto de los arrieros

Al finalizar esa tarde, muy poco antes de terminar el día, llegué al puesto de los arrieros. Dos casas, escasamente apuntaladas entre unos palos de madera seca y con los rastros de un sol recalcitrante, constituían la vivienda.

Varias personas vivían allí. También numerosos animales daban vueltas por el lugar. Perros, chivos, gallinas flacas y desplumadas por la sequedad del clima, vagabundeaban buscando algún mendrugo.

El ambiente: ni sórdido ni miserable, era simplemente, así. Estaba perfectamente entonado con el entorno. Esa amalgama del hombre con su ambiente se resolvía con naturalidad y sin estridencias. Se veía que el paso de los siglos, era parte del paisaje.

Me recibieron con sorpresa y reticencia; no era habitual la aparición de extraños. ¿Qué podía pretender?

Aunque no estaba lejos de los caminos transitados, esta gente vivía de sus animales, sin ningún contacto con otras personas porque no tenían a nadie en leguas a la redonda. Todo sucedía de allí hacia arriba.

No recuerdo sus nombres pero tengo claro sus rostros, sus aperos, su indumentaria y, sobre todo, sus ojotas. Fabricadas con restos de neumáticos como suela, descubrí el enigma de las *motos y vehículos* de aquellas sendas.

Seguramente les habré producido lástima dado el estado en que me encontraba pues, transcurridos los primeros instantes de mi aparición en su casa, me ofrecieron mate, algo de pan de maíz y, sobre todo, me permitieron pasar al interior de la tapera.

Allí un fogón que debía estar permanentemente encendido, ennegrecía paredes y techo con un parejo estuco de hollín. Colgando de cañas que hacían de travesaños en el techo de adobe, se secaban innumerables barbas de maíz, seguramente con su choclo dentro.

El piso, de tierra bien pisada y repetidamente mojada, estaba bien barrido y parejo. El cuarto era cocina, sala y dormitorio. Los pocos enseres que allí había, estaban todos muy ordenados y a diferencia de lo que se podía imaginar, bastante limpios.

Del orden se ocupaban permanentemente las numerosas mujeres; de la limpieza, las gallinas que picoteaban en todo instante el interior. Un sano olor a cocina mezclado con el de los cueros de chivo completaban esta peculiar escena. Era mi primer contacto con personajes de esta naturaleza, y conviviendo con ellos como habría de hacerlo en jornadas posteriores, aprendí a apreciar sus sencillos códigos de vida y de solidaridad.

Me demoré unos días con esta gente, colaborando en los trabajos cotidianos de la cocina, limpieza y demás tareas domésticas, pero aprendí a hacer pan. Comprendí la natural calma con que toman el tiempo y la vida. En esos parajes no cuentan los días ni las lunas con sus noches. La cadencia del tiempo no tiene intervalos, es sólo uno.

Una mañana fuimos a recorrer las cercanías buscando las mulas con que habría de continuar viaje. Me separaban del Chañi y del refugio que habían construido en la base de éste los militares, dos días de marcha y cincuenta kilómetros de distancia. Entonces me enteré de que el mentor de esta construcción había sido un tal mayor Di Pasquo. Cuando hice el servicio militar en Bariloche, mi jefe había sido el propio mayor Di Pasquo.

Con el arriero juntamos tres mulas y un caballo; transportaríamos leña para abastecer el refugio, mi mochila y a uno de sus hijos. Esta gente nunca viaja sola con extraños; siempre se acompañan con familiares, amigos o vecinos.

Las mulas resultaron ser muy mansas y educadas, dóciles como el caballo e hicieron que el trayecto fuera un verdadero paseo. La noche del primer día de marcha la pasamos al abrigo de los cueros de chivo que usan a modo de mandiles las mulas y el caballo. Un cielo tachonado de estrellas brillantes fue testigo de un fenómeno singular y nunca explicado.

A poco de oscurecer y sobre el perfil del horizonte que comenzaba a desaparecer con las sombras, dos rayas luminosas se desplazaron a velocidad constante hacia el oeste; parecían estrellas fugaces, pero la visión duró lo suficiente como para que todos las pudiéramos observar.

Las noches en estas alturas -estábamos a 3.000 metros- parecen ser más estrelladas y de un negro aún más intenso. Ocurre por la transparencia de la atmósfera y porque allí el aire es más liviano.

El refugio: una construcción ambiciosa

En la tarde del día siguiente llegamos al refugio. Se encontraba rodeado de los contrafuertes de la cumbre principal del Chañi. Un granito multicolor, pálido, rosado y con intensos tonos de ocre, daba al ambiente un aspecto lunar. Calificaría la construcción del refugio, considerando el lugar donde se hallaba, como ambiciosa. Tendría unos 20 metros de largo por otros 7 de ancho, dividido en su interior en varios ambientes; contaba con cocina, área de estar y dormitorios separados.

Las paredes eran de piedras del lugar y amalgamadas con cemento impedían la filtración del viento, no así del frío que mordía en su interior. Era un auténtico frigorífico. Todos los cacharros que contenían algo de agua se habían convertido en hielo sólido. En ese momento aprecié la cantidad de leña que los arrieros habían tenido la precaución de traer.

Encendimos apresuradamente una enorme cocina Istilart que presidía el ambiente dedicado a la gastronomía. Construida en hierro macizo, pronto comenzó a irradiar temperatura y lentamente el refugio se convirtió en algo más humano y confortable. Esa noche iba a reforzar mi bolsa de *duvet* con numerosos cojinillos de chivo. Sólo cuando tuve algo caliente en mi estómago pude dormir.

Al día siguiente los arrieros se marcharon, y me quedé solo para resolver mi futuro. Cuando los veía alejarse con sus mulas, perros y caballo, un nudito en la garganta pugnaba por formarse, pero era mi decisión, por más que en ese momento lo lamentara.

Estaba a 5.000 metros y necesitaba aclimatarme un poco más. Esos días de aproximación habían contribuido a lograr un mejor estado físico, pero no era suficiente.

Comencé a explorar los alrededores, y me acerqué a las paredes altas del Chañi Norte. El color rosado que se veía de lejos confirmó, cuando llegué a ellas, su excelente granito. Era curioso que esa calidad existiera en esas montañas.

Generalmente los cerros de la Puna, en razón de su edad geológica, muy antigua, son de roca sedimentaria o volcánica, imposibles de escalar. Las grandes diferencias de temperatura entre el día y la noche, favorecidas por una humedad ambiente cero, provoca una permanente contracción y dilatación en las rocas que, de por sí frágiles, se fracturan y conforman inmensos acarreos; esto hace que trepar sus paredes sea muy peligroso.

Pasé varios días recorriendo los alrededores, pues buscaba familiarizarme con la situación. El tiempo se mantenía estable y no tenía apuro en modificar la cadencia de los acontecimientos. *Let it be* dirían los Beatles años más tarde.

Cuando consideré que ya estaba en forma como para intentar la ascensión, partí cerca del alba rumbo al col de los 6.000 metros. Transcurridas las primeras horas de caminar entre las grandes moles de piedra que obstaculizaban con saña mi camino, realicé un esfuerzo que no estaba en condiciones de hacer a esas alturas. Sólo el orgullo me llevó a caminar hasta agotarme. Me dolía bastante la cabeza, síntoma inequívoco de un incipiente apunamiento.

A media tarde, cuando las sombras de los picos circundantes comenzaban a estirarse, prevaleció la razón por sobre mis esperanzas de alcanzar la cumbre. Rendirme ante la fatiga y las evidencias de mi estado constituyó una lección que recordaré siempre. Me bajó sin dudas los humos de adolescente y puso determinadas cosas en su lugar. La montaña fue, en ese episodio, nuevamente el maestro que tendría como referente en toda mi vida.

En marzo de 1958 cumpliría los dieciséis años, y me apresuré a volver para llegar con tiempo al comienzo del año lectivo.

V. DIECISÉIS AÑOS Y LA ELECCIÓN DE UN FUTURO

Frustrado aprendizaje del esquí

Después de mis incursiones por el noroeste en el Nevado del Chañi empecé a preparar mis planes de montaña para el invierno de 1958. Como comprendía que el esquí era una necesidad inherente al montañismo, aunque no me atraía demasiado aprenderlo, fui en el invierno a Bariloche con esa intención.

Los éxitos y fracasos a veces parecen darse en cadena, pues las dificultades que encontré en el aprendizaje fueron tantas, que no pude superarlas. Quizá suponía que el esquí era una actividad más sencilla de lo que en realidad resultó.

En aquella época no existían los zapatos plásticos, ni mucho menos los ganchos con que hoy se cierran. Cada vez que tenía que ponerme los esquís, empleaba una fuerte dosis de paciencia y entusiasmo para no desistir del intento.

Los cordones congelados junto con el cuero húmedo de las botas, me resultaron un escollo. Las pocas aptitudes personales determinaron que me refugiara en los salones del hotel donde aprendí las artes del truco, la canasta y el ping-pong.

Allí conocí a Benjamín Dickson, socio del CABA que estaba con sus hijas esquiando en el Catedral. Convinimos en ir al Frey por la picada de abajo. La idea era hacerla con los esquís puestos; no al hombro como resultó finalmente.

La gran cantidad de nieve acumulada en el valle hizo que los colihues, cargados con las últimas nevadas, cerraran permanentemente la senda. Era imposible avanzar con los esquís puestos, se nos enganchaban en las raíces y ramas de los ñires que, ocultas bajo la nieve, se oponían a un ascenso elegante.

Probamos diferentes métodos con poco éxito y en ese

momento optamos por abandonar los esquís en el balcón
del Gutiérrez.

Un vivac bajo la nieve

Tampoco entonces las cosas mejoraron, puesto que nos
hundíamos hasta la cintura en la nieve fresca que se infil-
traba por los pantalones y por el cuello cuando nos agachá-
bamos; entonces pasábamos en cuatro patas por debajo del
colihue. Un verdadero desastre...

A todo esto ya habíamos consumido todo el día y todavía estábamos lejos de llegar a Piedritas, camino al refugio
del Frey. Además, comenzó a nevar; evidentemente, la situación no mejoraba.

Antes de quedarnos sin luz, algo que ocurría muy temprano por lo cerrado de aquel bosque, improvisamos un
vivac de circunstancia. Sin carpa, pues pensábamos llegar
al refugio en el día; sin elementos (por ejemplo, calentador)
y sólo con la ropa puesta, el programa no era nada alentador.

Debajo de unos arbustos que nos daban la sensación de
un abrigo, limpiamos todo lo que pudimos el piso de nieve. Intentamos encender fuego con las ramas que nos parecían secas, pero no tuvimos éxito. Al derretirse, la nieve
apagaba las tenues llamas que lográbamos. Gasté casi todos los fósforos que me quedaban secos y en la mochila
buscaba desesperadamente una lata de alcohol sólido. No
la encontré aunque juraba haberla puesto.

Pasamos aquella noche transidos de frío y mojados hasta los huesos. Cuando amaneció dejó de nevar y con ello descendió la temperatura. *Tras llovido mojado*, dice el refrán po-
pular que en este caso venía como anillo al dedo, pues precisamente eso era lo que nos estaba ocurriendo.

Nos organizamos lo mejor que pudimos para continuar
hasta el refugio. Al ordenar la mochila para partir, apareció en el fondo la famosa lata de alcohol, junto con algunos
caramelos que nos habrían venido muy bien durante la no-

che. Resignados ante tanta frustración, arremetimos contra una nieve aún más profunda que la del día anterior.

Todo ese día demoramos en arribar al Frey en ese tramo que sólo lleva dos horas recorrerlo en verano. Nos alternábamos prolijamente en la delantera. Abrir huella en esas condiciones resultaba muy penoso.

Por fin, el refugio del Frey

Finalmente, con un frío que quemaba la piel, llegamos a la puerta del refugio. Había guardado la llave en un bolsillo muy chiquito que tenía mi pantalón. Congelado como estaba y con los dedos duros por el viento que se arremolinaba en los escalones de la puerta, no podía sacarla. Intenté de diversas maneras, pero era imposible desatascarla. Tuve que sacarme los pantalones, invirtiéndolos, para así recuperar la tan preciosa llave. Fue una tragicómica manera de terminar aquella jornada.

Al día siguiente lo pasamos pegados a la cocina que mantuvimos al rojo vivo todo el tiempo. Felizmente había suficiente leña y bendije a quien la había dejado.

Tratamos de secar toda la ropa y también los zapatos; con ellos, no tuve mejor idea que colocarlos dentro del horno de la cocina, pero los vigilaba en forma permanente. Por fin logré que se secaran pero cuando los extraje habían encogido algo así como dos números; se había achicado el cuero, y eso sí era irremediable.

Como resultado de la experiencia, sacamos algunas conclusiones: para internarse en la montaña invernal hay que saber esquiar, moverse en la nieve y tener el dinero suficiente para pagar el taxi de la Comisión de Auxilio del Club Andino Bariloche.

Dinko Bertoncelj: se abre un panorama

Fue en ese mismo invierno cuando conocí a Dinko Bertoncelj. Siempre había escuchado con atención todo lo que se relataba sobre sus escaladas y su vasta actividad en las montañas.

Profesor de esquí durante el invierno, en el verano quedaba prácticamente libre. Y convinimos en que cuando terminara ese año mi colegio, me reuniría en su casa de Bariloche para comenzar con la temporada.

Mientras tanto empezaban a llegar a nuestro país, equipos de escalada con los nuevos materiales: sogas de nailon y mosquetones en duraluminio, indumentaria de seda y nailon con *duvet*. Yo me desvivía por poder comprarlos.

Los mosquetones Pierre Allain fueron los primeros en salir al mercado europeo. Sólo resistían 700 kilos a la tracción, muy poco si considerábamos que las sogas de nailon aguantaban 2.500 kilos. Pero, como los arneses todavía no existían, eran nuestras costillas las encargadas de absorber el posible impacto de una caída. Que los mosquetones aguantaran sólo 700 era más de lo que los huesos podían resistir. Terminamos incorporándolos a nuestro equipo, mezclados con algunos de hierro para los pasajes difíciles.

El CABA: una actividad febril

Esa primavera volví a Escobar, para *afilarme* más que nunca. Resultaba agradable tomarse una vez más de aquellos agujeros en los ladrillos que ya brillaban de tanto uso. La ascensión de la chimenea no tenía más secretos para mí. La repetía una y otra vez durante los fines de semana; creo que en su ascenso logré un récord de 7 minutos. Con los años, la chimenea se iría deteriorando debido a la permanente oscilación de su cumbre. Se aflojaron los ladrillos de una de sus secciones volviéndose cada vez más amplia una abertura que se fue haciendo enorme y a punto de colapsar.

Una verdadera fiebre de trepar se había extendido a numerosos escaladores del CABA; se dictaban muchos cursos y conferencias y en algunos de estos eventos comencé a ser protagonista. En los cursos de roca trataba de transmitir mi experiencia, pero no siempre con buenos resultados. Pensaba que las vivencias en la escalada o en montaña eran intransferibles. La naturaleza humana es muy reacia a adoptar las ideas de otros. Hice algunos esfuerzos dictando cursos, pero pronto desistí y, desde aquel entonces, jamás volví a intentarlo.

Ante la elección de un futuro

El final de noviembre llegó rápido y con ello, también, el fin de mi secundaria. Con dieciséis años, tenía que decidir qué hacer del resto de mi vida. Los códigos de la sociedad en la que vivía en aquel entonces, decían que se debía estudiar abogacía o ser doctor en medicina; no quedaba otra opción salvo trabajar, pero en algo que no fuera el comercio. La formación que me había dado el colegio y también la opinión de mi madre me hacían difícil una elección diferente.

Por mi parte, no quería estudiar y mucho menos trabajar seriamente, pues salvo el alpinismo, no existía nada que movilizara mi entusiasmo. Acordé con mi madre un *impasse* de un año que utilizaría para enfocar mis objetivos. Ese año pactado no sería perdido pues, como me había recibido con un año de antelación, estaba simplemente utilizando un crédito merecido.

No tuve padre desde chico y por lo tanto ningún ejemplo masculino que copiar. Mi madre enviudó cuando yo tenía pocos meses. Así fue como en mi casa, ni mi hermana ni yo tuvimos una apreciación cabal de las demandas de una figura paterna. Tal vez él habría incidido en mi educación y quizás otro hubiera sido mi destino. A lo mejor, lejos de las montañas.

Partí nuevamente a Bariloche con la mochila llena de *ferretería* y renovadas expectativas. La madera de pinotea de los bancos de la segunda clase del tren era como mi segundo hogar.

Bariloche: renovadas expectativas

Bariloche tenía entonces 8.000 habitantes y todos, como en cualquier pueblo chico, se conocían. Se trataba de una pequeña aldea con una gran familia. Sanamente aislada por 1.600 kilómetros de ripio y dos balsas que sólo funcionaban de día, se mantenía alejada de contaminación exógena. También era refugio de esos personajes típicos que, con los años, habrían de llamarse *paracaidistas*.

Salvo la avenida Mitre, todas las calles eran de tierra. Abundaba la tejuela en los techos de las casas. Por lo general forradas en chapa de cinc, las viviendas se pintaban de amarillo o de colores vivos. Lucían siempre muchas plantas en sus jardines. Infaltable, la rosa mosqueta predominaba sobre los amancay y los rododendros. En el Centro Cívico, el general Roca, inmóvil en su caballo de bronce, apuntaba al norte... de allí había venido. Dinko alquilaba un cuarto con vista al hospital de la ciudad, suficientemente grande como para meter mis enormes mochilas llenas de material y arrinconarme con mi bolsa en lo que quedaba de habitación. Me sentía feliz de poder trepar con este maestro de la escalada.

Mi entrenamiento en Escobar había sido duro, puesto que yo pretendía mi mejor forma, y estar así a la altura de mi compañero. El verano anterior con Jochen había vislumbrado mis posibilidades de entrar en una etapa grande de escalada técnica y estaba ansioso por comprobarlo.

Catedral, en esa época del año, verano, luce sus mejores aspectos para escalar. La nieve, que se demoraba en dejar las alturas, se encontraba firme para caminar sobre ella sin esquís (¡por suerte!). En las picadas era difícil encontrarse con alguien. Los refugios estaban limpios y ordenados. Los visitantes y escaladores de la temporada anterior dejaban leña, sal y fideos, velas y fósforos. Frey era algo íntimo, familiar y único en esas circunstancias.

Próximo objetivo: el Campanile

Con Dinko decidimos ir al Campanile en primer lugar. Parecía que ese comienzo era un buen modo de entrar en clima. Había dos líneas posibles para inaugurar rutas. Acampamos en dos bloques enormes que conforman una pequeña cueva en su base. Con agua cerca y una espléndida vista sobre nuestra torre, el lugar resultaba inmejorable.

A la derecha de la ruta original de ascensión, un poco más abajo, existían fisuras y pequeños diedros mezclados con chimeneas que desembocaban en la gran plaza a mitad de altura del Campanile. Estéticamente la ruta no sugería mucho; la emprendimos como una manera de entrar en calor y familiarizarnos, puesto que era la primera vez que nos encordábamos juntos y esto requería una adaptación.

Las fisuras iniciales, inclinadas apenas hacia la izquierda, no favorecían mi lado derecho, naturalmente más hábil que el opuesto. Al empotrar mi pierna izquierda junto con la mano, me esforzaba en ganar en forma penosa los primeros metros. Poner clavos para protección tiene su razón de ser, pues las fisuras son ciegas y a medida que se gana en altura, uno se encuentra con una mayor sensación de inseguridad.

A los treinta metros no soportaba más esa situación y traté de armar un relevo lo más adecuado posible. No lo logré; un solo clavo y, para colmo, medio torcido, iba a ser nuestro único seguro. Y la salida, siempre hacia la izquierda, no mostraba buen aspecto.

Mi primer relevo: un solo clavo y, además, torcido

Como no tenía posibilidades de mejorar la posición, llamé a Dinko. Me imaginaba la cara que iba a poner cuando viera el desastre de mi relevo...

Mi sensación era de que la roca nos rechazaba en cada intento por superarla. Cuando llegó Dinko, no sin haber transpirado bastante, no podía creer en qué lugar estába-

mos, pero tampoco podía mejorar nada. Le propuse ser yo
el que continuase en la delantera. Me sentía un poco responsable de la situación, pero, por suerte (para mí), Dinko
tenía su orgullo y desestimó mi proposición. Estudió qué
podía hacer para salir de la izquierda, lugar al que nos em-
pujaban las fisuras. Pisó sobre mi hombro y logró ganar altura suficiente como para colocar un estribo. De allí, esti-
rándose, avanzó unos centímetros, luego algunos metros,
pero sin haber dado con una fisura donde martillar un
buen clavo.

El momento era sumamente difícil. El tiempo parecía
haberse detenido como si se mantuviera expectante ante
un desenlace. Yo confiaba en mi compañero y él, supongo,
confiaría en los clavos (una verdadera porquería) que había
colocado *su compañero*. Transcurridos unos minutos interminables, noté que la soga corría un poco más regularmente.
No lograba ver a Dinko pero lo escuchaba resoplar y ésa, a
mi entender, era buena señal. Algo estaba logrando. Se llevó unos veinte metros de soga y la cosa parecía haber me-
jorado, pues me gritó jubiloso que había puesto un buen
seguro y que me preparara para seguirlo.

Curiosamente no pude sacar el clavo de mi relevo pues
estaba tan torcido y aplastado contra la pared, que me fue
imposible tener ángulo para moverlo. Decidí abandonarlo
y colgarme del estribo que había colocado Dinko para faci-
litar mi extracción de ese lugar. Este estribo sería el testimonio de nuestro paso, no por propia voluntad sino por la
imposibilidad de recuperarlo. Allí quedaría por más de
veinte años, mientras tintineaba con sus escalones en el
granito, anunciando su presencia, hasta que un día, cansado de no ser correspondido, lo encontré en el acarreo inferior.

Así es la montaña

Dinko estaba en la plaza y eso dio por terminado el estrés de esa jornada. *"Rappeleamos"* hasta nuestra cueva pa-

ra recuperarnos de aquella no del todo feliz experiencia. Pero así es y así seguirá siendo la montaña. Una continua cadena de momentos de gloria y otros de contradicciones, y una estimulante trayectoria entre luces de felicidad y sombras de inseguridad, testimonio de la aventura vivida cotidianamente cada año de nuestras vidas.

Al día siguiente, bien repuestos y con las pilas cargadas, fuimos a inaugurar los primeros metros de una línea de diedros en la cara Este de nuestra torre. A la derecha de la línea imaginaria que dividía la pared desde la cumbre a su base, se encontraban dos diedros de unos cuarenta metros cada uno, de apariencia bastante agradable; adivinábamos que sería posible escalarlos. Sólo la unión de ambos no quedaba muy clara, a la distancia. Desde abajo se veía como una placa aparentemente lisa y compacta, pero teníamos que esperar a verlos en el lugar. Esa tarde nos concentraríamos en los dos primeros largos.

El plan de esa tarde

Comenzamos a la derecha de un gran bloque que conformaba una chimenea no utilizable para la oposición, pues la abertura era excesiva; pero subiendo por uno de los laterales de la chimenea, ganamos altura hasta encaramarnos en la gran plataforma que nos ofrecía la cumbre de este bloque.

Veinte metros de cuarto grado eran suficientes para colocarnos en el comienzo del primer diedro. Lo empecé con algo de Dülfer, después con empotramiento de manos y pies, y luego con una corta chimenea en oposición; hasta allí llegué, la continuación se la reservé a Dinko.

El aspecto de los veinte metros restantes impresionaba mucho. Absolutamente verticales, con pocas fisuras y con una llegada no muy clara a la placa bastante lavada que habíamos podido observar desde abajo.

Armé el relevo medio encogido en el fondo de la chimenea. No resultaba muy cómodo pero sí invulnerable. Dos clavos bien puestos aseguraban la posición. Eran las seis de la tarde cuando Dinko llegó a mi refugio y se preparó para el resto. Le pasé todo el material del que disponía y le deseé la mejor de las suertes.

En ese momento lamenté no haber traído abrigo, pues las sombras de la tarde anunciaban mucho frío. Al poco tiempo de estar inactivo e inmóvil comencé a tiritar y a maldecir mi falta de previsión.

Dinko avanzaba lentamente, pero con seguridad. No lo veía pero, a juzgar por sus comentarios, las cosas estaban marchando. Escuché el sonido de algunos clavos que iba poniendo y eso me tranquilizó pues cantaban como debían. Cuando estaba a un tris de gritarle a Dinko que bajara pues no daba más de frío, escuché que descendía la soga que previamente había fijado a un sólido clavo por debajo de la placa.

Había resuelto la parte difícil de nuestro primer diedro. La continuación quedaría para el día siguiente. Con las últimas luces de esa tarde llegamos a nuestra cueva a festejar por los metros merecidamente ganados. El piso del vivac era de arena fina y todavía se mantenía caliente, gracias al sol de aquella maravillosa tarde.

Otro estadio de mi vida en la montaña

Cuando comencé a entrar en los momentos previos al sueño, tuve la sensación de estar viviendo el comienzo de un estadio diferente de mi vida como escalador.

El sol de la mañana siguiente nos encontró ascendiendo por las dos sogas que habíamos dejado fijas. Ayudados por ellas, a veces con un prusik y otras simplemente como tracción, recuperamos rápidamente los metros escalados. Por fin me tocó a mí la delantera y me propuse retribuir a mi compañero por las atenciones de la jornada previa. Cuando llegué a la sección que él había resuelto, no pude dejar de admirar su trabajo. Totalmente en libre, utilizando buenas pero escasas tomas, Dinko había escalado esos metros en un vacío absoluto y con bastante poca protección. ¡Admirable!...

Cuando llegué a la placa de unión con el siguiente diedro, encontré que efectivamente era compacta, sin fisuras y con buena inclinación. Preparado para esa eventualidad, había traído unas mechas y clavos de compresión para perforar el granito. Comprendía que el método no era muy puro desde el punto de vista ético en cuanto a la escalada, pero necesario en ese particular lugar. Con paciencia perforé un pequeño agujero de sólo unos centímetros de profundidad. Necesitaba el clavo como seguridad para hacer un movimiento en travesía hacia mi derecha. Cuando lo coloqué me daba miedo tocarlo. Sobresalía más de la mitad, pero no tuve paciencia para poner otro. Estos eran los clavos que llamábamos *morales*. La exposición a esa altura era importante, y esto hacía que me concentrara profundamente en los movimientos que tenía que realizar; imaginé dos o tres que me llevarían a lugar seguro. Los repasé mentalmente y, sin permitirme dudar un solo instante, me desplacé hacia mi derecha.

La adherencia de los zapatos de escalada habrían de mejorar muchísimo con el correr del tiempo. En aquellos años sólo existían zapatos de cuero grueso con suelas de goma casi rígidas y esto dificultaba los pasos en adherencia como en aquel caso. También era cierto que el hombre suplía con mañas *lo que natura non da*, y esos fueron mis recursos para resolver aquella situación.

Una vez asegurado en un lugar bastante cómodo y mientras esperaba a Dinko, observé el aspecto del segundo diedro. Muy vertical y con una salida en leve extraplomo se anunciaba arduo. El día era espléndido; un solcito entibiaba la roca. Me sentía en plena forma, pero al ver la cara de mi compañero noté la misma expresión que tenía cuando vio el clavo que había puesto. Seguramente, para aquel entonces, ya estaría convencido de mi absoluta falta de imaginación y, en realidad, no tenía argumentos para defenderme.

Con la perspectiva que dan los años, y recordando todas

aquellas situaciones de riesgo real que se habrían de repetir cada tanto en diferentes montañas, sólo puedo asegurar que existió un ángel guardián que velaba por mi persona, postergando un desenlace que sólo él conocería.

Acondicionado el material y puestas en orden las sogas, comencé con el segundo diedro. Con buenas tomas sobre ambas caras era un placer escalarlo. Bien aéreo y con sólidas fisuras donde puse algunos clavos, disfruté de este regalo que nos ofrecía la pared.

El nacimiento de una nueva cordada

Sin embargo, en la salida me encontré con un bloque falso que se movía apenas lo tocaba. Con Dinko allá abajo y entre mis pies, superé este paso humedeciendo con adrenalina mi boca algo seca por el susto.

Al echar una mirada hacia arriba y topar con una cómoda plataforma 30 metros por debajo de la cumbre, nos relajamos y surgieron comentarios de satisfacción por la excelente ruta que habíamos abierto.

Dinko escaló la fisura que nos quedaba y ya estábamos en la cumbre. En el horizonte, el familiar Tronador parecía felicitarnos a la distancia. Nos sentíamos muy felices pues había nacido una cordada. Nos habíamos complementado naturalmente muy bien y ya estábamos elaborando otros proyectos. La cumbre sur de la torre principal sería uno de ellos.

Allí fuimos casi directamente después del Campanile. La sur es un monolito que surge de la nada. Bien separado de la estructura principal de la torre, no registraba ninguna ascensión hasta esa fecha. Intentaríamos una fina fisura que corría en leve diagonal. En el resto de esta enorme columna no se advertía ninguna posibilidad de acceso. La fisura resultó demasiado larga para los pocos clavos que teníamos en ese momento. En la mitad de ella tuve que regresar. De allí marchamos a Bariloche a renovarnos un poco, para volver ese fin de semana a terminar el trabajo comenzado.

Los cuarenta metros finales, absolutamente verticales, fueron bien emocionantes. La delicada salida hacia la derecha hizo que Dinko se luciera una vez más.

La cumbre plana y cómoda era un verdadero balcón hacia las profundidades del valle Rucaco. Un *rappel* araña de exactamente el largo de la bicolora (80 metros) nos dejó felices y contentos con nuestra campaña de aquella temporada en Catedral.

VI. EN LA LEGENDARIA PATAGONIA

Hasta diciembre de 1959 sólo había escalado paredes de cien y doscientos metros de altura, y comencé a imaginar cómo sería hacerlo en las de quinientos o en aquella cifra mágica de los mil metros.

Leía con fruición los relatos que la editorial Juventud editaba sobre las ascensiones en los Alpes. *La cara oeste de los Drus* de Guido Magnone era mi preferido. *Estrellas y borrascas* de Gastón Rebuffat, otro de mis libros de cabecera. Cuando tuve en mis manos *El asalto al Fitz Roy*, no pude dejar de admirar profundamente a sus protagonistas. Lionel Terray y su generación de escaladores franceses representaban el liderazgo del alpinismo mundial de aquellos años. Tenían, para mí, una dimensión desconocida como hombres y como alpinistas. Las prolongadas ascensiones que realizaban en las paredes norte de los Alpes me hablaban de grandes esfuerzos por sobrevivir en los vivacs de la alta montaña.

El vivac en las altas paredes representaba para mi concepción de aquel momento una acción definitivamente heroica. Pensar en pasar la noche con nada de abrigo y ninguna o poca defensa contra la intemperie, me llenaba de angustia pero también de curiosidad.

Mientras tanto, un grupo muy homogéneo del CABA había realizado una relevante ascensión en el cerro Chato en la región chubutense de Cholila. La escalada de las paredes finales de este cerro les había demandado dos días con su correspondiente vivac. La aproximación larga y demoledora por la vegetación espesa del valle y la navegación en kayak de la laguna Errasti demostraban la capacidad y entusiasmo de este grupo.

En la cumbre de la chimenea de Escobar conocí a uno de ellos, Jorge Insúa. Poco tiempo antes había participado en la ascensión del diedro grande del cerro de la Cruz en

Los Gigantes, en Córdoba, y ése fue nuestro primer tema de conversación. Seguimos con el Chato y así fuimos entrando en una vorágine de anécdotas sólo interrumpidas por la lluvia que terminó con ese primer encuentro.

Las torres del Paine

Más tarde iría conociendo al resto del grupo: su primo Uca Carrera Pereyra y a Ponzoña, Cacho Cardani en la vida civil. Muy pronto congeniamos y comenzamos a lucubrar una expedición a las torres del Paine.

En esos momentos, las Torres representaban un objetivo de una dificultad que, salvo algún intento, no figuraba en el historial de los escaladores argentinos. Teníamos temor de que alguien se enterara de nuestras aspiraciones y se rieran del proyecto. Celosamente cuidábamos cualquier comentario que dejara filtrar nuestras intenciones. Jorge estudiaba ingeniería y con él desarrollamos un clavo de aluminio que resultó un total fracaso. Inyectado en fundición de aluminio, no resistió ni el primer martillazo; fabricamos también unas polainas enterizas, con lona Pampero de camión. Bien robustas y pesadas, resultó que cuando se congelaban, eran imposibles de colocar. Con gabardina de los capotes militares confeccionamos unos nikers que fueron un éxito. Al mojarse, este género estrechaba sus puntos haciéndose casi impermeable. Su resistencia hizo que todavía los conserve; no en uso, pero sí en buen estado.

Una expedición italiana, organizada por el conocido empresario Guido Monzino había ascendido la torre norte del Paine. Este personaje no era alpinista ni escalador, pero financiaba expediciones lujosas a todas partes del mundo. La ascensión a la cumbre principal y a la torre norte del Paine había sido un gran éxito. Los relatos de Toni Gobi, uno de sus guías, describían la escalada de la Norte como de sexto grado de dificultad en la escala europea (Dülffer). Y esto constituía un soberano reto para nuestros jóvenes espíritus si lo lográbamos, la nuestra sería la segunda ascensión a la torre norte del Paine.

Poder escalar un sexto, sería un milagro para nosotros. En realidad, como en la Argentina no existía una ruta graduada con esa dificultad, resultaba todo un trabajo de elaboración imaginar nuestras posibilidades para concretarlo. Cuando medíamos dificultades técnicas en montaña, simplemente hacíamos deducciones comparándolas con aquellas del Catedral que más o menos respondían a las graduaciones calculadas por los pioneros de esas montañas. Pero ninguno de nosotros había estado en un sexto europeo, genuino y real.

El desafío era total. El Paine estaba en la Patagonia y esto era también novedad para nuestro grupo. Los famosos vientos, llamados generalmente *locomotoras*, sobrecogían nuestro espíritu con el temor a lo desconocido. Tuvimos todo ese invierno para organizar detalladamente la expedición.

Recibimos algunas donaciones de firmas importantes en la alimentación, entre otras, Terrabusi y Bagley; Magnasco con su manteca salada y envasada y un frigorífico que contribuyó con sus embutidos hicieron que fuéramos una de las expediciones mejor alimentadas en la historia del CABA.

Envolvimos cuidadosamente los alimentos en bolsitas de polietileno, conformando raciones de hombre-día, agregándoles Ovomaltina, chocolates Suchard, leche en polvo Swift y otras exquisiteces. Luego colocábamos estas bolsas dentro de herméticas latas de galletitas Bagley; cada bulto contenía 20 días de raciones para una persona.

Una de las dificultades que se agregaba a las propias de la escalada era que el Paine está en territorio chileno. Previo a la partida debíamos sumergirnos en un mar de trámites, papeles y permisos especiales, para poder ingresar con todo nuestro material. Tiempo antes yo había estado en Santiago con la gente de la Federación Chilena de Montaña, que había prometido ayudarnos diligentemente en estos menesteres. Poco pudieron hacer. La frontera en Río Turbio nos demoró dos semanas completas.

Corría entonces el año 1960; la Patagonia fue cambiando mucho. Llegar entonces a Río Gallegos era como estar en el fin del mundo o en el comienzo de nuestra historia. Esta ciudad, empujada por el viento, se extendía con desorden sobre la ría homónima. Con viviendas construidas exclusivamente en chapa de cinc apenas pintadas, amontonaba en sus calles de ripio, la carbonilla con que alimentaban sus cocinas y salamandras.

Una aventura por comenzar

Un fétido aroma a yeso descompuesto, producto de las aguas extremadamente salitrosas, invadía el aire de esta población. No obstante es el día de hoy que añoro esas particularidades; nos hablaban de una aventura con mayúscula que estaba por comenzar.

Éste era el estado en que Río Gallegos nos recibía.

El inconveniente con que tropezaban todas las expediciones que se dirigían a la cordillera, era la movilidad. Nuestro magro presupuesto no permitía el alquiler de un camión que nos transportara al Paine.

Entonces fuimos a golpear las puertas del doctor Paradelo, gobernador de la provincia; con gran disposición nos facilitó la autorización necesaria para viajar en el tren de trocha angosta que nos llevaría hasta los yacimientos de carbón de Río Turbio. El trencito carecía de horario y fecha y había que estar atento a su imprevista partida. Montamos una guardia en la oficina de YCF y así transcurrieron varios días hasta que finalmente logramos partir.

Este tren transporta desde los yacimientos de Río Turbio el carbón que extraen de sus minas. De ida, totalmente vacío, lleva la poca gente que requiere sus servicios.

Para comodidad de los pasajeros, habían dispuesto un furgón con unos asientos alrededor de una pequeña cocina a carbón o leña. Esto hizo que disfrutáramos de un viaje entretenido.

Jugábamos al truco y tomábamos abundante té y mate, y de este modo fue transcurriendo el tiempo que llevó recorrer los doscientos cincuenta kilómetros que nos separaban de nuestro destino. Nos resultaron interminables, por la lentitud con que la pequeña locomotora se exigía en las subidas. Era evidente que este trencito de trocha angosta estaba preparado para volver bajando, y no para ir subiendo. Acomodamos nuestras bolsas sobre los fardos de avena que transportaban los vagones vacíos, y así dormimos. Esto significó un lujo que aprovechamos durmiendo como lirones.

Turbio era y es el ambiente de una ciudad minera y fronteriza. Reúne las características propias de una y otra condición. Situada entre colinas ralas de vegetación y apretada en sus hondonadas, configura un pueblo sin sentido urbano. En las barracas dispersas se aloja el personal del yacimiento. En algunos edificios y galpones se almacena maquinaria. Comedores y oficinas conforman un desordenado bullicio donde sólo se puede trabajar. A la sazón, Río Turbio estaba trabajando a pleno en su capacidad de extracción. Las usinas termoeléctricas que funcionaban en ese tiempo en el país consumían doscientas cincuenta mil toneladas de carbón por año. Luego, la reconversión en la generación de energía condenaría al Turbio a una prolongada extinción.

Allí sucedió la ya mencionada demora de dos semanas completas por trámites fronterizos. Las autorizaciones no conformaban a los gendarmes argentinos que no nos dejaban salir, ni a los carabineros chilenos que nos impedían entrar. Sólo el entusiasmo y el optimismo, templados por las ilusiones, impidieron que la moral del grupo desfalleciera ante tanta impotencia.

Jorge Peterek, huérfano de sus compañeros polacos, se había unido a nuestra expedición. Cacho Cardani, Jorge Insúa y Uca Carrera Pereyra completaban la esperanzada caravana del CABA que intentaba llegar a las torres del Paine.

Al fin, Chile lindo

Finalmente aclarada la situación con los carabineros chilenos, logramos partir. Amontonados en la caja de un viejo Ford que pudimos alquilar, salimos bien temprano hacia nuestra primera escala, Puerto Natales.

En cada puesto de control chileno nos demorábamos un promedio de cuatro horas, las necesarias para que se pusieran de acuerdo con el puesto anterior si estábamos en orden o no. "Ponzoña" se ocupaba de hacer irónicos comentarios a costa de nuestra situación.

El paisaje de las zonas que atravesábamos era soberbio, de una marcada diferencia con el lado argentino. Los bosques, la gramilla más verde y la tierra negra y a veces rojiza, embellecían con sus matices el panorama.

El pintoresco Puerto Natales quedó especialmente grabado en los comentarios generales. Sus policromas construcciones tenían un dejo nórdico. En las orillas, el fiordo Balmaceda reflejaba unas montañas con glaciares que volcaban sus hielos en el mar. Para nuestro asombro, cisnes de cuello negro completaban este paisaje.

En una bifurcación y como broche de oro de aquel día, el chofer, que era primerizo en estas rutas, tomó un camino equivocado; como resultado, nos internamos en una huella que sólo servía para sacar leña del bosque. Retrocedimos la hora y media que habíamos perdido y al rato llegamos, por fin, a la laguna Amarga, final de nuestro viaje.

Allí, sobre el río que desagota este espejo diminuto de agua, se encontraba un puente colgante demasiado estrecho para que pudiera pasar nuestro camión. Despedimos al desmoralizado chofer, porque un viaje de pocas horas se había transformado, ingratamente, en una interminable jornada. Bien entrada la noche, terminamos de acomodar los bultos a la vera del camino.

Esperamos ansiosos las primeras luces que nos permitieran ver nuestras torres que, escondidas en nubes de tormenta, habían eludido presentarse. Cuando lo hicieron, en la mañana siguiente, no podíamos creer dónde estábamos y para qué habíamos venido. Las torres en esos momentos parecían haberse puesto de acuerdo para mostrarse con su aspecto más tenebroso.

Semicubiertas de niebla, emergían buscando el cielo con su verticalidad y descomunales proporciones. Admitamos que, en los días nublados, las distancias parecen acortarse y las proporciones aumentar. Pero esa primera visión de nuestro objetivo fue como un balde de agua helada.

Las montañas que rodeaban las torres parecían no tener presencia. Los Cuernos y el Almirante Nieto decoraban blandamente la energía que surgía de las torres.

Recuerdo que mi primer razonamiento fue cuestionarme si no habíamos exagerado en la elección de nuestro objetivo... ¿No era demasiado para tan corta experiencia?

La serie de contrariedades que arrastrábamos hasta ese momento pareció interrumpirse con la llegada del administrador de la estancia; poseedor del vehículo capaz de atravesar el puente, accedió a transportarnos hasta el casco principal. Una vez cargados los cajones parecían querer escapar de la angosta caja del Studebaker y, cuando cruzamos el puente, todos contuvimos el aliento, pues la carrocería pasaba a milímetros de la baranda.

Instalación de los campamentos

Una vez que llegamos a la estancia Radic, colocamos las carpas del campamento base, algo alejadas de las casas y en medio de un achaparrado bosque de ñires. En este lugar la expedición del Club Andino Bariloche había instalado su base de operaciones para intentar la cumbre principal del macizo.

Esta cumbre, distante unos 25 kilómetros, dio origen a una polémica con matices políticos internacionales. En el momento en que la gente del CAB organizaba su viaje al Paine, una muy importante expedición italiana al mando de Guido Monzino pedía un permiso de exclusividad sobre el cerro, solicitud que fue concedida (Sólo en el Himalaya existe un régimen de reserva semejante). El Club Andino Bariloche, por su parte, no quiso renunciar al proyecto; trataron de llegar a la cumbre a espaldas de la policía chilena, pero el mal tiempo les impidió el acceso a la cima. Les tocó entonces a los italianos probar suerte y ascendieron a la cumbre en condiciones rigurosas.

Todo esto estaba todavía fresco en la memoria de las autoridades. Seguramente ésta es la explicación de tantos tropiezos, inconvenientes y retenes de carabineros que tuvimos en la frontera.

Los días siguientes fueron un continuo subir y bajar instalando los campamentos intermedios. Al ascender por el valle del río Ascensio se lograba, luego de 15 kilómetros, tener acceso a las morenas terminales de la cara oeste de las Torres. Desde allí, con un tercer y último campamento, estaríamos en condiciones de intentar la cumbre de la torre norte.

Mi primera experiencia con el mentado viento patagónico fue bastante cómica por estar advertido y muy temeroso de su fuerza. En uno de los tantos transportes comenzó a sonar la locomotora, me tiré al piso con mochila y todo, seguramente en busca de algún refugio inexistente. El viento, ausente en esa ocasión, me dejó en ridículo ante la mirada socarrona de mis compañeros. Así aprendí que no necesariamente cuando suena, carga la racha. A veces pasa lejos y, como en aquella oportunidad, es inofensiva.

No recuerdo ningún transporte en que hayamos cargado menos de 20 kilos en nuestras mochilas. Con el ánimo de sitiar sólidamente la montaña, no escatimábamos esfuerzos para abastecer los campamentos de alimento y material. Las cantidades a veces eran exageradas.

Las conocidas carpas de Cacique modelo UPSALA, hechas con algodón grueso y resistente, pesaban 12 kilos cada una, sin parantes. Añadiéndoselos, subían a 14, y mojadas, ¡ni les cuento!...

Con espíritu estoico

Si bien sufríamos inconvenientes, no nos quejábamos. Estábamos trabajando para nuestra montaña, y eso era suficiente razón para no hacerlo.

Cocinábamos en altura con calentadores Coleman y Primus a nafta o solvente; explotaron ambos. Fabricados con una tecnología que estaba en sus albores y alimentados con un combustible, seguramente, no muy bien filtrado, se tapaban o no gasificaban, o se incendiaban provocando situaciones cómicas. Las garrafas de gas, pesadas pero seguras, terminaron salvándonos de todos estos inconvenientes.

Cuando logramos ver las torres, nos aplastaron con su tamaño. Me sentía mil veces minúsculo, y no lograba superar el complejo. Me distraje con los transportes; eran muchos, y no nos concedíamos clemencia en cumplirlos. Con cualquier tiempo -lloviera o tronara- manteníamos el programa de abastecimientos. Resultaba casi exagerado. En una oportunidad, al llegar al campamento 3, sobre la morena terminal, me encontré en el fondo de la mochila ¡con una caja entera de 8 kilos de dulce de batata!

A los diez días de llegar, el campamento 3 estaba instalado, ya en condiciones de intentar la cumbre. Nos encontrábamos con el ánimo recompuesto, y estábamos físicamente en buena forma, gracias a los transportes que habían endurecido los músculos y galvanizado la voluntad.

De una actitud pasiva y respetuosa para con nuestra montaña, ahora anhelábamos medirnos con esos pasajes en tantas ocasiones imaginados y mil veces leídos en los relatos de los italianos.

El tiempo, inestable, nos demoró varios días en las carpas. Como estaban sólidamente instaladas sobre un pedregullo que por lo general abunda en las morenas, descansábamos bien secos y cómodos esperando el día.

El 18 de enero comenzó a respirarse un clima diferente en las montañas que nos rodeaban. Las luces de los atardeceres se demoraban sobre las paredes, tiñéndolas de rojo. Un aire seco mordía con frío las fisuras y pendientes, señal inequívoca de que estábamos en la antesala de un período de buen tiempo.

Salimos de nuestro cómodo campamento 3 para instalar uno de ataque al pie de la pared. Durante tres horas ascendimos por unas lajas fuertemente inclinadas. Al pie de la torre, justo donde nos encordaríamos para ascender al col Bich (este nombre lo había puesto el jefe de los guías de la expedición italiana y era una brecha que dividía a mitad de camino las dos torres) encontramos el asentamiento del campamento italiano, con un regalo: una damajuana que tenía aún algunos litros de vino. También algunas cargas de gas y material de escalada. Era evidente que el presupuesto de Monzino no tenía límites...

Reservamos este presente para festejar nuestro regreso si teníamos éxito; si fracasábamos sería para ahogar nuestras penas.

Esa tarde el tiempo desmejoró, aunque no tanto como para alarmarnos. Un viento continuo corrió durante toda la noche, pero al amanecer las nubes se habían disipado, y las primeras luces nos encontraron encordándonos para escalar.

Eramos cinco y éste es un mal número para trepar. Lógicamente había que hacer dos cordadas, una más ligera y ágil, y la otra lenta y complicada.

Mi primera intención fue encordarme con Jorge Insúa, con quien tenía una afinidad que habría de durar toda la vida; sin embargo, él era el líder natural sobre Uca y "Ponzoña" con quienes había escalado el Chato de Cholila.

Con Pete, técnicamente muy hábil, me aseguraría ciertamente la cumbre. Iríamos rápido y esto fue lo que prevaleció en mis íntimos mecanismos de selección. Sacrificaba un sentimiento por un análisis objetivo de la situación.

Una serie de pequeños diedros puestos en diagonal y

apoyados en la estructura principal de la torre norte, era nuestro camino lógico para llegar al col Bich.

A los pocos largos habíamos entrado en calor. Con Pete alternábamos la delantera en un terreno no muy difícil. Usábamos una bicolora de 40 metros y esto hacía que avanzáramos muy rápido.

Jorge, encabezando la cordada de tres, hacía maravillas para no despegarse de nosotros, y por cierto lo lograba con éxito. Cacho era muy rápido y muy habilidoso en la escalada libre y Uca estaba en muy buena forma.

A las diez de la mañana nos encontramos reunidos en el col. Allí nuevamente nos esperaba una grata sorpresa. Un generoso manojo de clavos gentilmente abandonado por Monzino enriqueció nuestra ya surtida *ferretería*.

La proximidad del sexto grado

El famoso tramo de sexto grado estaba delante nuestro. Una placa, un diedro con una salida en pequeño extraplomo, conformaba este pasaje de unos 80 metros de alto. Comencé los primeros metros con bastante preocupación. Creo que todos estábamos con temor. Mis compañeros reunidos en el col observaban mi desempeño. Sentía como si una pequeña tribuna analizara mis movimientos. Pronto me di cuenta de que, a juzgar por sus comentarios, el espectáculo no era muy interesante, pues se dedicaron a analizar el panorama y a lucubrar alguna ruta en la torre central que por entonces estaba virgen.

La acción de la escalada me abstrajo en mi propio mundo alejándome de las dudas y temores. Al parecer, iba resolviendo cada metro bastante bien, pues pronto había consumido los cuarenta metros de soga.

Llamé a Pete, dejándole la responsabilidad de terminar con este pasaje. Jorge se le pegó a los talones para ahorrar tiempo y recuperar calor. Estar inmóvil y con una pequeña brisa, que empezaba a soplar, no era muy agradable.

La central, vista desde mi relevo, era impresionante. Sus

pilares conformaban diedros perfectos, lisos y compactos. La cara este, que dominaba de perfil, era perfectamente vertical en todo su desarrollo. Habrían de pasar algunos años para que alguien imaginara una línea en sus paredes. Curiosamente serían unos amigos sudafricanos los que abrirían la primera ruta en esta cara, 14 años después, el día de mi casamiento...

Pete se desenvolvía con soltura en los tramos finales y me dejaba tiempo y tranquilidad suficiente para distraerme con la ascensión de la segunda cordada. Avanzaban sincronizadamente y pronto tuve a los tres apretados en mi relevo.

Estábamos felices, ya se podía decir que habíamos superado la esperada incógnita del sexto grado. El clima se mantenía estable, y no era aún mediodía cuando llegamos al tercio superior de nuestra montaña.

Por el filo cumbrero, hacia la cumbre

En aquella temprana edad, comencé a intuir que, estando en las proximidades de alguna cumbre, me invadía un sentimiento en el que me introducía sigilosamente, estableciendo una comunión total con el momento y la naturaleza de la montaña. Ése fue mi estado espiritual cuando llegué al filo cumbrero. Éste, muy corto y confortable, me permitió sentarme a esperar a mis compañeros. Pete primero, y a los pocos minutos Jorge, Cacho "Ponzoña" y Uca aparecieron recogiendo todo el material dejado en los últimos largos.

Estábamos en la cumbre, la nuestra y la primera de las grandes, que en el futuro habríamos de pisar. La norte era la primera ascensión *en serio*, el inicio de una larga cadena que realizaría con el correr de los años.

Reprodujimos la misma imagen de la foto de cumbre de los italianos; sobre el bloque somital estaba Cacho desplegando los banderines del CABA y banderas argentinas y chilenas, repitiendo la pose de Toni Gobbi en iguales circunstancias. Retiramos un clavo Cassin puesto como testimonio de los italianos, y dejamos un peldaño de aluminio de nuestros estribos, después de grabar nuestros nombres.

Nos quedaban unas pocas horas de un sol que, oculto por unos cirros, comenzaba a desaparecer. La brisa que nos acompañó durante el día aumentaba su fuerza. Ya la cumbre se transformaba en un lugar hostil y nos apresuramos a abandonarla.

Destrepamos gran parte de los últimos largos y, cuando llegamos al sexto grado italiano, el viento era un huracán. Con cuidado de no errar los rappeles, el primero de nosotros descendía sostenido por la soga en doble; esto permitía que las cuerdas no se enredaran con el viento. Una vez arribado al relevo y sin desprenderse del rappel, llegaba el siguiente. El tema era recuperar las bicoloras de 80 metros. Allí sólo nos quedaba como recurso rezar un poco, y rogar para no tener que subir a desatascarlas de alguna fisura.

Todo salió como deseábamos hasta la medianoche. En medio de un vendaval, agotados, pero felices, llegamos a nuestras carpas sin ningún inconveniente.

La sensación plena de haber logrado una cumbre sería, a partir del Paine, un norte permanente en mis aspiraciones. Nada podría sustituir en el tiempo esa felicidad completa y ninguna actividad deportiva o intelectual podría reemplazarla. Nacía con la torre norte, un estilo y una ética en mi manera de entender la montaña y la escalada. Para que esto se fortaleciera, sentía que debía ir a las fuentes, y éstas eran los Alpes.

VII. TRASPASANDO LAS FRONTERAS

Una beca en Chamonix

Después de la torre norte del Paine conseguí, a través de la Embajada de Francia y del Ministerio de Deportes de ese momento, una beca en Chamonix en la École Nationale de Sky et Alpinisme (E.N.S.A.), es decir la Escuela Nacional de Alta Montaña, una institución centenaria de Los Alpes. En ella se forman todos los guías de Francia, por lo tanto fue un honor para mí estar becado en esas circunstancias por el gobierno francés. Ya había terminado el secundario y no estaba muy seguro de qué carrera quería seguir. Mi madre y yo vimos que era un momento adecuado para ir a Europa por un par de años. La beca en Chamonix ayudó en la decisión, y me fui a Europa.

Partí solo, con una mochila, a los 17 años y estuve allí hasta los 19. Mi madre colaboraba con 100 dólares de su pensión todos los meses, y yo los recibía en las diferentes embajadas de los países donde estaba. Con eso evitaba tener que trabajar en Europa y podía seguir viajando. Con respecto a lo de la ENSA, estuve ese verano, dos meses en Chamonix, en contacto con la crema y nata del alpinismo europeo y mundial en ese momento. Allí conocí a personajes *míticos* como Lionnel Terray, Gaston Rebuffat, Pierre Mazzeau, Bonatti, y tuve contacto y me hice amigo o conocido de muchos de ellos. Por eso, cuando releo *Estrellas y borrascas* de Gaston Rebuffat, no puedo dejar de recordar su mirada acogedora y el apretón de manos que me dio, y hay que pensar que yo era un imberbe para él.

Esta experiencia me puso en la realidad del alpinismo mundial y por supuesto aprendí muchísimo en contacto con aquella gente; varios de ellos fueron profesores de la ENSA. Era como si mi carrera de montaña tuviera un *sprint* muy importante. Los Alpes me desilusionaron un poco porque yo estaba acostumbrado a la soledad de la montaña argentina, y los Alpes siguen siendo los Alpes: con esa cantidad de refugios, esa cantidad de gente... Digamos que me chocó porque estaba acostumbrado a la desolación, en especial, a la de la Patagonia. Me impresionó la cantidad de gente, y la última vez que fui había muchísimas más organizaciones y turistas: si antes había 20 refugios ahora había 200, si había 200 personas ahora había 5.000... Eso ha ido *in crescendo*. Entonces digamos que hacer montaña allí es menos aventura que en la Argentina; está tan organizado, tan acotados los rescates, que cuando pasa algo hay un teléfono para llamar y un helicóptero viene en auxilio; todo eso quita el riesgo de estar expuesto en la montaña, le quita un poco de la magia que tienen los lugares solitarios como pueden ser los nuestros.

Sin embargo, no dejo de afirmar que Los Alpes son fantásticos, que tienen una belleza espectacular, unos glaciares...; en definitiva, son la cuna del alpinismo. Todo lo que se haya dicho sobre el alpinismo está reunido allí. E, indudablemente, sigue estando. Muchas de las escuelas técnicas todavía son actuales, los europeos siguen siendo líderes en algunos aspectos. Sobre todo el esquí de travesía, que está muy desarrollado. En cierto momento, los norteamericanos tomaron la delantera en las técnicas de roca, los franceses fueron líderes durante muchos años en la técnica de hielo, luego ese centro fue transmitido a los Estados Unidos, pero siempre alrededor de los Alpes giró la música de toda esta actividad.

La roca caliza de las Dolomitas

Después de Francia estuve escalando en Austria, en los Alpes tiroleses y también en las Dolomitas. Pude conocer las distintas calidades de roca que hay en los Alpes: la caliza de las Dolomitas que está en la frontera entre Suiza, Italia y Francia, y el granito del Mont Blanc. La roca caliza es muy diferente de la nuestra, y tenía que experimentar las técnicas, igualmente diferentes, aprovechando que estaba en ese lugar...

El resumen de aquella experiencia en los Alpes fue, en ese momento, decisivo, no sólo técnicamente sino que me ubiqué mejor en el escenario mundial de montaña. Y podía comparar la montaña europea con la dificultad de nuestra montaña. Ellos fueron los creadores de la escala Dülfer de dificultades del I al VI y, realmente, en la Argentina estábamos muy lejos de conocerla, de practicarla y, sobre todo, de dimensionarla. Allá tuve ocasión de ejercitar estas dificultades: la IV, la V y la VI, y tuve oportunidad de hacerlo luego en la Argentina.

Un récord: 170 Albergues de la Juventud

Puse mi *campamento base* en la casa del ítalo-argentino Marcelo Costa, en Torino, pero después siempre viví en los Albergues de la Juventud; andaba con la mochila dando vueltas, y creo que habré tenido un récord de 170 Albergues de la Juventud recorridos. Conocí 17 países, muchas capitales, aprendí cuatro idiomas que todavía me acompañan (inglés, alemán, italiano y francés) y realmente volví a la Argentina con un bagaje cultural importante, no sólo sobre el alpinismo sino que conocí lo que es la cuna de la civilización y de la música; aprendí a diferenciar pintores y épocas. Ahora se lo fomento a mis hijos y, poco a poco, van pasando por Europa; pienso darles la misma oportunidad que me dio mi madre en ese momento, pues es fundamental en la formación de cualquier individuo.

Durante los meses que permanecí en Chamonix pude ascender al Mont Blanc por la pared normal, y eso más bien fue un paseo turístico. Después hice la pared norte de la Tour Ronde, una pared bastante prestigiosa en hielo; me interesaba sobre todo el hielo; con las torres del Paine y las torres del Catedral estaba bastante formado en roca. De todos modos seguía interesándome e hice la pared norte del Chardoné, que es una pared muy bien conceptuada. También hicimos la Verte Integrale del Dru, luego la vía Gaston Rebuffat de L'Aiguille de Midi, después el Mont Blanc du

Tacul y a continuación hice una ascensión en solitario -la primera que hacía- en L´Aiguille de L´Emme. Luego fui a ver el Eiger, el Matterhorn y todas las montañas más famosas: son imponentes. En las Dolomitas, en Austria, escalé el Kaiser y a continuación el Paso Sella con Dinko Bertoncelj, con quien coincidí en esos meses.

También estuve en Montserrat, en los Pirineos, cerca de Barcelona y, además, en el Saussoire, que era de donde provenían todos los *cráneos* franceses en roca. Es un acantilado calcáreo formado por el río Loire y allí a esas *fallaisses* iban los parisienses a entrenarse y a perfeccionar su técnica. Asimismo estuve en Fontainebleau, donde hay unos *boulders* en las afueras de París. Allí vivía en la Ciudad Universitaria, en el Pabellón Argentino, que está muy bien instalado y tiene muy buena atención. En ese lugar conocí al pianista argentino Bruno Gelber, que estaba haciendo sus estudios de música alrededor de 1958.

Y como último dato de la ENSA puedo agregar que uno de los instructores era Armand Charlet, un apellido legendario en este tema; de hecho hay una marca Charlet de herramientas de hielo. Vivía en esa época y tuve el gusto de ser su discípulo.

VIII. FITZ ROY: LA MONTAÑA MEJOR PRESENTADA DEL MUNDO

Primera parte: escalada a la Guillaumet

"¡Al fin! ¡Genial! ¡Qué bárbaro!"... Eran algunas de las expresiones de júbilo y admiración emitidas al descender del camión en el río Las Vueltas. Estábamos en enero de 1963. Todos los inconvenientes del viaje, esos largos días de espera, trámites y malos humores se esfumaban ante la presencia del Fitz Roy y sus satélites. En uno de esos raros momentos, relucía limpio de nubes y tormentas como para darnos la bienvenida. Comenzamos de inmediato la descarga y el transporte al otro lado del río. Durante años no existió otro medio de comunicación que un angosto puente para ovejas, que colgaba unos treinta metros sobre las aguas grises del río Las Vueltas. Todos los estancieros que tenían sus campos del otro lado del río lo cruzaban con sus camiones solamente en invierno, cuando las aguas bajaban su nivel y su fuerza. Resultaba difícil concebir cómo una situación así se mantenía desde hacía años sin el menor indicio de mejora. Por fin, alrededor de 1980 se solucionó.

Próximos a la Navidad

Uno a uno instalamos los cajones detrás de una loma, donde comienza otro camino hacia el río Fitz Roy. El continuo traqueteo del camión de la Aeronáutica nos aflojó los músculos dejándonos en estado lamentable para que, de buenas a primeras, cargásemos soberanos cajones. Martín Dónovan abrió el fuego con uno mayúsculo y, a los pocos metros de la travesía del puente, tuvo que ser auxiliado por Jorge Ruiz Luque, pues el puente se balanceaba demasiado. Se lo repartieron y entre los dos fue más fácil continuar el viaje.

Al día siguiente era Navidad y todo el mundo hubiera querido pasarla en el Galpón de Stanhardt y no a orillas de ese río donde sopla viento con arena, haciendo el lugar de lo más inhóspito. Con Carlos Comesaña, mientras tanto, fuimos a la estancia de Rojo para recurrir a su buena voluntad: queríamos que nos transportara los veinte kilómetros que nos separaban del Galpón. Con una sonrisa que, en mi léxico califico de ambidiestra, nos explicó que tenía mucho trabajo por el momento y que quizás al día siguiente podría hacerlo. "No se sabe... veremos". Metimos violín en bolsa y, con ánimo alicaído, volvimos grupas en dirección al río. ¡Magnífica Navidad nos esperaba! La noticia, como era previsible, fue recibida con fúnebres expresiones. Continuamos con el trabajo y en ese momento sorprendimos a "Pirata" (Antonio Misson) en mitad del camino sobre la loma, con una carga que al parecer era de respetable tamaño; lo vimos dejarla sobre una piedra, y regresar al borde del río con el semblante pálido y los ojos extenuados. Entonces nos gritó: "¡Chicos, no quiero saber nada más de tantos kilos, es trabajo para jóvenes vigorosos y no para viejos carcamanes como yo! Por el resto del día renuncio. Haré mate mientras los miro trabajar". "Está bien", dijimos todos. A los 42 años no se le podía exigir mucho más que unos sabrosos *verdes*.

Llegó la Navidad y la festejamos con unos buenos chistes, que se eternizaban en la boca de Hugo Bella. Nos resultó inútil buscar la estrella de Belén porque, por más que intentamos verla, se negó a aparecer. Como no había una gota de alcohol, continuamos con anécdotas e ilusiones para el día siguiente.

Una bendición del cielo

Luego de dos días de espera apareció un camión que equivalía a un premio no esperado; el doctor Domenech se había enterado de que estábamos en la región y había venido con su mujer a recogernos. Un corto trayecto nos dejó al borde del río Fitz Roy que, gracias a Dios, no estaba tan crecido como para no intentar cruzarlo con camión. Esto nos ahorró un día de trabajo; de lo contrario, habríamos tenido que trasladar cajón por cajón, suspendido en un cable que atraviesa el río a modo de carril. Empezamos bien. No nos alcanzaban las palabras para agradecer al doctor esta gauchada, que nos significaba energías y tiempo ganado.

Por la tarde tuvimos una visión que pareció provenir de un reino irreal: en medio de la pradera vimos aproximarse a un señor de corbata, camisa impecable y traje azul que cargaba una gigantesca mochila. A pesar de todo, avanzaba en nuestra dirección. Cuando se acercó, terminó la visión; reconocimos a Avedis Nacachian, miembro de otra expedición que intentaría el Cerro Marconi, en las vecindades del Fitz Roy.

Resultó que por una serie de coincidencias pudo llegar en un avión desde Buenos Aires a la estancia de Rojo en menos de veinte horas; ningún camión había podido arruinar su estampa. Cosas de la Patagonia...

De jolgorio en el Galpón

Esa noche hubo una gran fiesta en el Galpón. Estábamos las dos expediciones reunidas, más Hugo y Cecilia, que en esos momentos pasaban la luna de miel. Mágicamente apareció una botella de vino, que era el remate para terminar de alegrar el ambiente. Carlos con su guitarra inspiraba las contorsiones de Avedis en procura de un nuevo estilo de danzas. Nunca estuvieron el malambo y la cumbia tan vilipendiados como en esa sesión.

Con la llegada de la madrugada se impuso algo de orden, y cada uno se fue a dormir a su lugar. Un día de espera nos retuvo en el Galpón. Como el señor Stanhardt no podía reunir sus animales cargueros, esto nos obligaba a permanecer en el lugar. Para matar el tiempo, "Pirata" oficiaba de buen peluquero en la cabeza de aquellos que se sacrificaron a la incógnita de sus tijeras. Hubo, también, campeonatos de cuchillos que tenían mucho éxito, sólo que no había suficientes cuchillos para tanta gente.

El clima en esa zona de la región es casi siempre muy estable; puede estar lloviendo copiosamente en la montaña, distante unos kilómetros, y allí brilla el sol sin que nadie se entere de la lluvia. Nos regalamos con un buen asado de cordero, a la vez que ultimábamos los detalles del transporte que iniciarían los caballos al día siguiente.

Jorge nos asombró esa noche con sus cualidades de músico nato, aquel que hace ritmo con cualquier cosa o instrumento. De un desvencijado acordeón arrancaba los sonidos de alguna tarantela, bolero o lo que pidiéramos en el momento. El viento, de vez en cuando, acompañaba golpeteando en las ventanas. Al mediodía siguiente llegaron los tan esperados animales. Fue todo uno el cargarlos y partir. Por fortuna eran varios; hicimos sólo dos viajes para transportar la totalidad de los víveres al Campamento Base.

La tradicional Piedra del Fraile

Tomando senderos accesibles, emprendimos nuestra marcha por atajos hacia Piedra del Fraile; así se llama el lugar en recuerdo del padre De Agostini, pionero de la Patagonia e incansable explorador de estas regiones. Allí fue donde instaló uno de sus campamentos para ingresar luego al hielo continental. Es, como su nombre lo indica, una gran piedra en las nacientes del río Eléctrico, con bosque alrededor y buena vertiente para beber. La ubicación es ideal para campamento, pues éste es el límite de la vegetación; más allá comienza el valle pelado y la alta montaña.

Para llegar debimos caminar unos veinte kilómetros a través de bosques quemados, a veces ex profeso para hacer volver a las ovejas refugiadas valle adentro y, otras, accidentalmente, por descuido de algún paisano. Cruzamos varios riachos y, por un puente circunstancial, el poderoso Río Blanco.

Desde esa perspectiva, el Fitz Roy lucía su vertiente más

elegante. Entronizado entre una serie de glaciares, surge como un escenario espectacular hacia el cielo. Su color rojo pálido resalta sobre el blanco de la nieve y el horizonte azul. Es, sin duda alguna, la montaña mejor presentada del mundo. De a ratos nos dejaba entrever su cumbre, que aparecía entre las nubes de lluvia que no tardarían en llegar.

Con espíritu más confiado

Visitamos el antiguo campamento base de 1962, cuando intentamos el gran diedro de la pared este. Recordamos muchas anécdotas y recogimos una gran cuchara de madera un poco húmeda que "Pirata" había tallado en aquella ocasión; servía como recuerdo de aquel intento. Ahora teníamos más confianza en nuestras fuerzas. Muchas montañas en el intervalo hicieron que desarrolláramos una técnica y una posición mental distintas. Esto es, más independiente de los antiguos estatutos de una expedición patagónica. Por mi parte, estaba convencido de que podríamos efectuar un ascenso del tipo alpino y esto teníamos que probarlo en esta oportunidad, con la supercanaleta del Fitz Roy. Le decimos súper porque es un inmenso corredor que parte literalmente la montaña de noroeste a sudeste Sus proporciones (2.000 metros de desnivel) justifican sobradamente el adjetivo.

Al fallar el intento de 1962 llegué dos veces a la base para estudiar de cerca la posibilidad de otra ascensión. Ese lado de la montaña era poco difundido y solamente actualizado por repetidos intentos de las expediciones del Club Andino Bariloche. El resultado de mis reconocimientos fue mi elección de ascender la cumbre por ese lado. De haber repetido la ruta francesa, no hubiéramos probado nada especial. Al innovar ruta; la técnica siempre progresa en algo e incorporamos nuevas concepciones en el movimiento universal del alpinismo. Nos llevó todo un día llegar a Piedra del Fraile. Lo hicimos paseando y trepando; de vez en cuando, algún bloque con problemas interesantes. Jorge, que se había adelantado y perdido de vista, apareció en dirección nuestra por la orilla del río; al reconocer nuestra presencia se le iluminó la cara como si nos encontráramos después de varios años. Tal júbilo correspondía a que se había perdido, y emprendió el regreso por el camino que recordaba haber transitado. Todos juntos continuamos con la aproximación.

Una fina llovizna anunciaba nuestro arribo al Campo Base. Carlos, que había llegado unas horas antes, tenía preparado un fuego en el que se calentaba una gran olla con mate cocido y leche, resabio seguramente de su época de scout de San Martín de Tours. Su predilección por esta bebida pronto se hizo general, sobre todo porque introducía un leño encendido segundos antes de beberlo (que parece que le da un gusto muy especial); es muy llamativo por lo exótico, y qué humano podía resistirse a un efecto tan original.

Una verdadera obra de arquitectura

Esa garúa pronto se convirtió en lluvia que no habría de abandonarnos en los diez días siguientes. Armamos con prisa las carpas a medida que eran traídas por los caballos. Almacenábamos los víveres para protegerlos de la lluvia en el resto del refugio que Bariloche había construido. Una vez hecho esto, una fiebre de construcciones prendió en todo el grupo expedicionario. Queríamos, como medida fundamental, ampararnos del mal tiempo y para esto era imprescindible un buen techo. Un grupo se encargó de abrir las grandes latas en las que traíamos los víveres y fabricar con ellas una rústica teja; uniéndolas con madera y clavos, le daba la solidez necesaria para mantenerse en posición. Otro grupo se dedicaba a talar árboles de los alrededores para las necesarias vigas y cumbreras destinadas a la original construcción. De haber estado presente en esos momentos un espectador ajeno a la acción, hubiese revivido los cuentos de los enanitos trabajando con las sequoias.

Así transcurrieron varios días; luego del techo y las paredes, comenzaron los detalles de la decoración interior. Aquí también siguieron destacándose las habilidades de Jorge como estudiante de arquitectura y veterano scout; hizo una chimenea improvisada con latas y barro cocido, que resultó una obra de arte. Tenía la propiedad de ambientar el fuego de manera muy artística, pero de allí a cumplir con sus funciones específicas, había una gran distancia. Todo el mundo contribuía con alguna idea original, desde el modo de colgar la batería de cocina hasta una puerta de plástico que interrumpía la continua corriente de aire que circulaba en el interior. Quedó un ambiente de cinco por cinco, bien cómodo y abrigado, provisto de una mesa, sus asientos, una estantería con rótulos para individualizar los comestibles y una biblioteca. En definitiva, era una obra maestra de la arquitectura salvaje.

Afuera, mientras tanto, seguía la tormenta. Nosotros continuamos con la instalación que contribuiría a completar el hogar; pusimos una antena para la radio, secadero para la ropa que tendríamos que lavar y cortábamos leña que almacenábamos para tener siempre a punto la chimenea.

En la mañana del 10 de enero el tiempo experimentó una sutil mejoría. Al prever una estabilización total, organizamos inmediatamente nuestro plan de acción. Calculamos que sobre 45 días que teníamos de tiempo para permanecer en la zona, era muy difícil que tuviéramos más de cinco buenos para escalar. Pero enfrentar la supercanaleta del Fitz Roy con el sistema que creíamos que era el acertado, exigía un entrenamiento previo: esto es, rapidez, poco equipo, sin campamentos intermedios y sin fijar sogas en su parte baja. Calculaba que emplearíamos dos de subida y el tercero para descender.

Entrenamiento previo: ascensión al Guillaumet

Con estos planes, nos quedarían dos días libres para escalar el Guillaumet, aguja satélite del Fitz Roy cuya cumbre

permanecía virgen y que representaba para nosotros una
excelente palestra donde entrenarnos antes de aventurarnos con el Fitz Roy. La pared norte de la aguja, con 600 metros de altura había sido intentada por Carlos Comesaña,
mi compañero de aventuras, el verano anterior. Luego de
hacer 300 metros, tuvo que detenerse al finalizar un diedro
con una salida al parecer bastante complicada.

Esa misma tarde, Carlos y yo partimos en busca de esa
montaña. Antes, les sugerí a Martín y a Jorge que fueran al
fondo del río Eléctrico para reconocer el cerro Rincón,
cumbre virgen y de singular belleza.

Con un mínimo de material en nuestras mochilas fuimos ganando altura. Frente al campamento subía con precipitación una pendiente de arbustos y por allí dirigimos
nuestros primeros pasos. Un gran desnivel nos separaba
de la base de la pared, algo así como 1.200 metros según
mis cálculos. Luego de tantos días de inactividad nuestras
piernas se resistían a responder como uno quería. En consecuencia llevamos al mínimo la cadencia de nuestros movimientos. El tiempo mejoraba momento a momento, las
nubes de la mañana desaparecieron poco a poco, y dejaron abierto un cielo azul limpio y puro.

Las montañas de alrededor iban tomando perspectiva;
el Aniversario, a nuestras espaldas, estaba casi a la misma
altura en la que nos encontrábamos. La cumbre del Gorra
Blanca apareció tímidamente detrás de las primeras estri-
baciones del hielo continental. Cuando vimos el Lautaro
caminábamos ya sobre el pequeño glaciar del cerro Guillaumet. Plano este glaciar en sus primeros metros, se eleva con rapidez buscando el granito de la pared que tendríamos que trepar. Visto el Guillaumet desde donde estábamos, se parecía a una gran pirámide de color gris pálido;
su verticalidad es tanta que la nieve no se detiene en sus laderas. En medio, presenta un filo que separa las dos aristas
y que, a modo de espina dorsal, asciende hasta unos trescientos metros por debajo de la cima. Ésa sería nuestra vía.
Cuando comenzamos, se presentaron varios bloques frac-

turados que debían permitir la escalada libre en su mayor parte. Ascendimos por la margen izquierda y con rapidez, una pendiente de nieve. Afortunadamente, lo tardío de la hora hizo que la nieve estuviese blanda, y pudimos así escalarla sin grampones. No los habíamos llevado, si bien no hay modo de explicar por qué.

A las seis de la tarde tocamos la pared. Un sólido granito invitaba a comenzar sin demoras la ascensión. Luego de una corta travesía hacia mi derecha, me encontré en una serie de chimeneas practicables sin mayores complicaciones.

Nos encordamos a una bicolora de ochenta metros y, con las mochilas puestas, comencé los primeros metros. La inclinación de esta parte no era mucha y nos permitía que ganásemos altura rápidamente; la escalada no era difícil y esto nos venía muy bien luego de todo el trabajo de aproximación hecho en ese día y teniendo en cuenta la falta de entrenamiento que teníamos.

Por fin, el vivac en la Guillaumet

Hicimos dos o tres largos y nos detuvimos sobre una gran plataforma, ideal por su tamaño y ubicación para instalar nuestro primer vivac. A la derecha pudimos observar el valle Fitz Roy norte en toda su extensión. Si dirigíamos la vista al oeste, la mole del Fitz Roy clausuraba el panorama. Son notables las dimensiones de esa montaña. Por donde se la mire, presenta desniveles asombrosos por lo alto y por la verticalidad.

Ordenamos el poco material que teníamos, mientras tanto comimos algunas nueces con pasas de uva. Lo temprano de la hora hizo que nos sobrase tiempo para observar todo lo que nos rodeaba. Hasta la cumbre nos faltaban unos quinientos metros de desnivel y desde allí adivinábamos algunos largos bien difíciles. Pero no me preocupé, sería trabajo para el día siguiente; en ese momento había que gozar del espectáculo. Si bien estábamos expuestos a la dirección del viento, la atmósfera era tranquila; ni una sola brisa vino a molestar esos momentos excepcionales en la Patagonia. Habíamos trepado hasta allí en mangas de camisa y aprovechando un sol que se prodigó como pocas veces ocurre en estas regiones. Esperaba que fuera un buen indicio para cuando atacásemos la supercanaleta. Con Carlos hablamos mucho sobre este tema. Calculamos probables promedios de progresión, altura, desniveles; pensamos qué material habríamos de llevar y sólo repetíamos aquellos esquemas que se nos habían fijado. Ésta era una empresa madurada durante un tiempo muy largo.

El viaje de El Principito

En el espectáculo de ir recibiendo a cada una de las estrellas que nacía, se observaba la labor de un mágico farolero que iba encendiendo con su varita el universo. Era algo así como *El Principito* de Saint-Exupéry, que pasea de una a otra estrella en su viaje a la Tierra. La noche se cerraba sobre nosotros cuando el sueño y el cansancio invadieron dulcemente nuestros cuerpos.

Nos relajamos y dormimos lo mejor que pudimos. Carlos, que quería probar la hamaca de nailon, se colgó de dos clavos, colocados en fisuras separadas y diferentes; a juzgar por su cara a la madrugada, no me pareció que su experimento hubiera dado muy buen resultado.

Dejamos el material de vivac en el sitio y, después de comer muy poco, nos pusimos en movimiento hacia la cumbre con las primeras luces. Desde los primeros metros la escalada fue un verdadero placer, la roca sana y las fisuras limpias y bien definidas. El tiempo que nos tocó ese día no pudo ser mejor; teníamos puesto sólo un anorak, ya que no hacía frío. No soplaba viento.

Aparición de los diedros

Era todavía temprano cuando tropecé con el diedro en donde Carlos había abandonado. Una serie de clavos señalaban el camino a seguir, pero arriba, en su salida, se interrumpían bruscamente. Utilizándolos enhebré con aceleración ese largo. Al llegar arriba, estirándome hacia la izquierda, alcancé el comienzo de una cornisa que en travesía aérea me depositó en la naciente de otro diedro al parecer muy practicable. La exposición era increíble, sentíamos que habíamos perdido gravidez, escalando sin peso y suspendidos en un vacío alentador. Son esos metros que se graban a fuego en la memoria de un trepador. Una escalada atlética, limpia, con sólo unos buenos clavos de seguridad cada tanto, y superé ese diedro. Estábamos en plena forma.

Es notable cómo un solo día es capaz de entrenar y acostumbrar un físico que a lo largo de diez meses del año no hacía otra cosa que trabajar en una oficina. En esos momentos nos sentíamos como si hubiéramos trepado toda la vida; subíamos sin darnos ningún respiro. Una vez en el filo, continuamos en escalada fácil hacia la cumbre que veíamos relucir allá arriba, todavía a unos 300 metros de desnivel.

Las dificultades inesperadas

Nuestra tensión se había relajado pues creíamos que las dificultades se habían terminado y, ¡oh sorpresa! vimos que nuestra cresta se interrumpía bruscamente formando un tajo de cuarenta metros que debíamos descender para volver a ascender una pared vertical, que resultó ser la más difícil de toda la escalada. Las manos se curtían y lastimaban por el continuo roce con el áspero granito. A la vez, íbamos adquiriendo precisión en las maniobras, justeza en los movimientos; casi no hablábamos, cada uno sabía las necesidades que en diferentes ocasiones nos iban surgiendo. Esto es fundamental para una escalada. Imagínense lo que sería ir repitiendo a cada metro la indicación que cada uno necesita, por días y días. ¡Imposible!

Una vez resueltos esos cuarenta metros, progresamos por la pendiente de nieve que desciende de la cumbre, tramo éste en el que extremamos los cuidados, pues no llevábamos ni piquetas donde asegurarnos ni grampones para evitar resbalar.

Cumbre en el Guillaumet

El sol brillaba más que nunca cuando ingresamos en la cumbre. Se respiraba allí una atmósfera muy extraña. Era ese oxígeno que proviene de la victoria, cuando nos enfrentamos a un desafío y finalmente vencemos. Eran esas horas en que se viven momentos intensos y se vibra al influjo de la naturaleza en el marco de la belleza brutal que prodiga la montaña.

Teníamos tiempo para demorarnos con tranquilidad en la cumbre del Guillaumet, por lo tanto exploramos con la vista los abismos que nos rodeaban y apareció uno particularmente deslumbrante: el que iba hacia el Fitz Roy.

La cumbre parecía hacer un voladizo sobre la vertical de esa pared, lanzándose al espacio como un gigantesco trampolín. El Poincenot lucía una rara perspectiva, el Fitz continuaba ejerciendo su poderío cuando alzamos los ojos hacia su cumbre, allí bien arriba, por encima de nuestras cabezas. En un bloque de la cumbre observé una marmita eólica. Se trataba de un hueco con forma de olla, que era producto del trabajo fuerte y constante del viento patagónico que horada el resistente granito.

Depositamos algunos comprobantes de la ascensión y emprendimos, muy rápido, el camino del descenso. Estábamos aún lejos de la base y no quería por nada del mundo que nos sorprendiera algún brusco cambio de tiempo. Mecánicamente instalamos las sogas para el rappel, y cuando llegamos al tajo tuvimos que volver a subir la pared que habíamos descendido que, por fortuna, no ofrecía mayor dificultad.

Al arribar primero al borde de los diedros dudé un poco desde dónde lanzar la cuerda: quería evitar la gran travesía de los diedros. Para esto tendríamos que aventurarnos a hacer una maniobra. Con ella, corríamos el riesgo de pasarnos de largo unos centímetros y quedar colgados en una sección cóncava que había observado mientras ascendíamos. Por prudencia, nos remitimos a lo conocido e instalamos un *rappel* dentro del mismo diedro.

Como las arañas

La bajada fue perfecta, repetimos la misma escena que hacían las arañas al descolgarse de los techos. Empezaba a soplar algo de viento y esto hacía que penduláramos hacia ambos lados. Exactamente a los cuarenta metros apareció nuestra cornisa; un centímetro más abajo no la hubiéramos podido alcanzar por el largo de la soga.

Repetimos la travesía, esta vez en sentido inverso y descendimos el último de los rappeles expuestos; los siguientes eran más sencillos por la sensible disminución de la pendiente.

Eran las seis de la tarde cuando reconocimos el lugar del vivac. Ordenamos con rapidez todo el material, echando una última mirada al valle del Fitz Roy norte; hacia allí encaminaríamos nuestros pasos en un futuro muy cercano.

Destrepamos algunos tramos y en una hora más estuvimos sobre la rápida pendiente nevada. En ese lugar decidimos acelerar los trámites dejándonos simplemente resbalar; en caso de no poder dominar la velocidad, una planicie de nieve allá abajo nos aseguraba un correcto aterrizaje.

Cuando llegamos al pasto, el cansancio se sintió y cayó a plomo sobre nuestros maltratados físicos. Toda la actividad del día y la súbita desconcentración hizo que los músculos se ablandasen dejándonos a la deriva del cansancio.

Las primeras estrellas coincidían con la llegada al campamento.

"Pirata" fue el primero en recibirnos, y formuló con voz algo angustiada la siempre tan importante pregunta:

—¿La hicieron?

—Sí...

Eso fue todo.

IX. FITZ ROY: SEGUNDA PARTE

La ruta elegida: la supercanaleta

Un vivificante viento del sur agitaba en aquel enero de 1963 las ramas de los últimos arbustos que íbamos dejando atrás. Minutos antes habíamos preparado con excitación y algo de inquietud nuestro equipo para el asalto al Fitz Roy. Me parecía como si todo hubiera sido calculado mucho antes y que en ese momento sólo repetía la selección de clavos, víveres y ropa. Era como vivir algo planificado durante toda mi vida. Dieciséis clavos y tres cuñas de madera, treinta mosquetones, cuatro estribos, una bicolora de ochenta metros y dos martillos. Algunos víveres y muy poco abrigo. Queríamos que el conjunto fuera lo más liviano posible para que pudiéramos movernos con rapidez. En esa agilidad residía todo el éxito de la victoria que esperábamos. En esos momentos la gente que me rodeaba y con ellos el resto del mundo, permanecía ausente de mi consideración. Todas mis energías estaban puestas en lo que debíamos hacer; el mínimo detalle era tan importante como todo el conjunto. Repartí el material lo mejor posible en las dos mochilas. Bebimos algo caliente antes de salir, y dejamos las últimas recomendaciones a nuestros compañeros para los días subsiguientes. Entendíamos que lo más inteligente -puesto que no habíamos armado ningún campamento intermedio- era que los que quedaban en el campamento subieran a los dos días a la base de la supercanaleta para esperarnos y recibirnos. Suponía que para entonces nuestro estado sería calamitoso. Así quedó convenido y partimos. Nos saludamos algo tensos por la situación, deseándonos mutuamente el mejor de los tiempos. Necesitábamos setenta y dos horas de buen clima.

La despedida de "Pirata"

"Pirata" no pudo dejar de acompañarnos los primeros kilómetros del valle. Calculo que era él, quien sabía valorar realmente lo que el Fitz Roy representaba para nosotros, es decir que pesaba más la parte humana de la ascensión que el significado técnico de la escalada.

Tratándose de un hombre sensible, captaba el ideal que se ponía en marcha en esos momentos; nos acompañaba en la vivencia de la aventura, y en su conversación a lo largo del valle trataba de disimular esa emoción que pueden sentir los padres cuando despiden a los hijos que se van a la guerra. Eran las cuatro de la tarde cuando nos despedimos de él en un gran bloque, en la bifurcación del valle.

El sol había desaparecido detrás de los filos arrojándonos a la sombra de las montañas; la atmósfera en esos momentos parecía haberse serenado. Los elementos estaban en estrecha comunión con nuestros espíritus. Formábamos una unidad, como si se tratara de una gran sinfonía en la que nosotros éramos las notas y el ambiente que nos rodeaba, el pentagrama.

Conocía muy bien el acceso, puesto que el año anterior lo había recorrido un par de veces. La primera parte del Fitz Roy norte es una enorme morena fracturada; en ella se observa en desorden un glaciar muerto, sembrado de piedras. En verdad, un trayecto bastante desagradable pero, a la vez, entretenido para recorrer. Se avanza buscando el buen camino entre el caos de grandes bloques, en el que repetidas veces es necesario perder altura para volver a tomar un nivel superior.

La mole del Fitz Roy bloquea siempre la salida del valle. Todas las montañas a su alrededor parecen desaparecer y presentan el aspecto de simples satélites en temerosa adoración del gran cerro. Ese día, el ambiente estaba teñido de un color rojizo que prometía buen tiempo. El gendarme del Polone señalaba inútilmente un cielo de tinte desvaído. Un sonoro glaciar no cesaba de festejar sus ocurrencias y enviaba al vacío estruendosas avalanchas.

El paso rítmico y constante demostraba que estábamos en buena forma y por suerte las mochilas no se hacían sentir mucho. Hubiéramos preferido no tenerlas, pero es algo que la ecuación de la montaña no ha resuelto todavía. Se trata de un mal congénito y hereditario que sobrellevaremos de por vida.

A la izquierda apareció un gran acarreo que tendríamos que remontar para ganar la parte alta del glaciar. El problema era que allí presenta un corte de unos trescientos metros de desnivel, imposible de superar directamente. Recordaba ese acarreo como un accidente en extremo peligroso por la inestabilidad de las piedras, y muy riesgoso para nuestro retorno, cuando estuviésemos con menos fuerzas y con reflejos más débiles. A las cinco de la tarde iniciamos el ascenso. Las piedras eran de un tamaño muy incómodo pues no parecían suficientemente grandes como para afirmarnos entre ellas, ni tan chicas como para no temer los derrumbes. Nos separamos más de lo necesario para evitar perjudicarnos con los bloques que se soltarían a nuestro paso.

Una meta: llegar con luz a la base de la supercanaleta

Estas maniobras nos hacían perder mucho tiempo, pero, por fin, emergimos sobre el glaciar: una luz difusa invadía el escenario. Teníamos que darnos prisa para llegar con luz a la base de la supercanaleta. Acortamos distancias atravesando por el medio la cascada que forma la lengua del glaciar cerca de los contrafuertes del Fitz Roy. El hielo era duro y las grietas bien marcadas, y abiertas; esto provocaba que demorásemos en busca de la buena senda entre ese mare mágnum de cristal. Poderosos seracs interrumpían el camino y, en algunos trechos, puentes muy delgados unían uno con otro los bordes de las grietas.

Desde hacía rato calzábamos los grampones y usábamos la soga para seguridad.

Cuando salimos de esta sección había penumbra y aceleramos el paso rumbo a la base que ya estaba a la vista. A esa hora los cerros cobraban una inmovilidad espectacular. El frío congelaba los glaciares y las nieves, y detenía el continuo caer de los aludes. Todo estaba sumergido en un silencio profundísimo, que penetraba en el cuerpo y nos colmaba con una gran paz. Más que paz parecía una voz modulada por los siglos. Un silencio que resonaba como un ruido.

Enormes piedras determinaron el alto de aquella marcha. Tendimos con prisa las hamacas con los últimos reflejos para preparar algo caliente antes de dormir. Hablábamos muy poco. Presentí que estábamos atrapados por la visión de la supercanaleta que se proyectaba hacia la cumbre, arriba de nuestras cabezas. Aparecía con dimensiones sobrehumanas. Había que considerar que, una vez traspuesta cierta altura en la pared, en caso de accidente o mal tiempo, la retirada resultaría casi imposible. Sentía que íbamos a luchar con algo que nos superaba en todos los aspectos: no sólo lo desconocido de la montaña sino las dimensiones de esta pared.

Llegó la primera noche

Preparamos algo para comer, ninguno de los dos hablaba; cada uno estaba enfrascado en sus propios pensamientos e iba tomando con desgano una sopa apenas caliente. Se respiraba un extraño clima, como si algo muy importante estuviera por ocurrir. La expectativa resultaba demasiado tensa para soportarla despiertos. En silencio, nos escondimos en las bolsas, en procura de refugiar esa angustia en un sueño que demoraba en llegar.

No creo que durmiéramos mucho esa noche, pues estaba todavía oscuro cuando comenzamos a preparar el material. El cielo no lucía despejado, una fina nubosidad cubría todo el firmamento. El aire estaba sereno y presentí que permanecería en ese estado. Los primeros movimientos fueron casi mecánicos; ajustamos los grampones, sujetamos bien las mochilas y fue despertando en nosotros ese espíritu de lucha que habría de permanecer encendido hasta que estuviéramos de vuelta con la cumbre vencida.

Llevábamos dos piquetas cada uno, una en cada mano; esto nos ayudaría muchísimo para una progresión más cómoda y rápida. Nos encordamos pocos metros antes de la rimaya inicial. La superé por un delgado puente avanzando los cuarenta metros restantes de soga. Cuando estaba ya extendida, comenzó Carlos a su vez. Lo aseguré en el cruce de la grieta, reemprendí la ascensión y avanzamos al unísono. Los primeros metros de la canaleta no eran muy pendientes; sorprendidos, los superamos con alegría. La nieve resultó buena, y las dimensiones de este *couloir*, lo suficientemente grandes como para no hacer demasiado peligrosa la caída de piedras que supuse que se produciría. Al ser tan ancha la canaleta nos daba tiempo y espacio para esquivar la posible avalancha. Por otra parte, los cascos que utilizábamos nos daban la sensación, altamente optimista, de invulnerabilidad. Trataba de llevar un ritmo constante y que se adaptara a los dos; el *couloir* era largo y debíamos reservar el máximo de energías para llegar enteros al verdadero comienzo de las dificultades, allá, bien arriba.

La aparición del primer salto de hielo

Hicimos trescientos metros hasta tropezar con el primer salto de hielo. Coloqué un clavo enganchado al mosquetón y, a continuación, pasé por él la soga. Sin detener a Carlos superé un escalón de tres metros para llegar, luego de otro recorrido, a la base de la primera bifurcación de la canaleta. Se trata de un gran peñón de roca que emerge del hielo del *couloir* (la supercanaleta) originando un canal estrecho a la izquierda y algo más ancho a la derecha. Aseguré a Carlos mientras decidía por cuál seguir. Me incliné por el izquierdo; seguramente recibía menos luz, estaría más seca la nieve y más compacto el hielo; además, quedaba algo fuera de la trayectoria de las piedras. Había unos tramos difíciles en hielo, pero luego se normalizaban recobrando las características anteriores. El tiempo parecía no transcurrir; para nosotros sólo existía un paso detrás del otro, un movimiento acompañado de una inspiración. Habíamos operado en esta sección de la ruta con extrema coordinación, sintiendo muy poco los efectos del esfuerzo. Sólo unos incipientes dolores en los talones nos indicaban que habíamos avanzado continuamente en nuestras doce puntas. Cada tanto, a la izquierda, sobre la roca, aparecían clavos abandonados por la cordada de Bariloche. No los utilizamos por creerlo innecesario, pero calculamos que serían de gran ayuda a nuestro descenso.

Los mil primeros metros de la supercanaleta

Cuando finalizamos los primeros mil metros de la supercanaleta, era mediodía. Aquí continúa por la izquierda pero aumenta bastante la inclinación y se estrecha demasiado dando una sensación de inseguridad en la escalada. Vacilé...

Por fin elegí, para continuar, la mano derecha de la supercanaleta: el buen sentido había prevalecido, porque si bien por un lado se desarrolla enteramente en roca -de mayor dificultad- se aleja del bombardeo de piedras, que ya habíamos aprendido a distinguir en tamaño y consistencia (algunas son de hielo) sólo por el zumbido que producen. Martillé un clavo donde nos aseguramos y colgamos lo que habíamos de dejar en este improvisado campamento: las piquetas, un par de grampones -nos quedamos con el otro- y las cubrebotas.

Tratamos de sentarnos lo mejor posible para darles un descanso a los tobillos, hinchados por el continuo gramponaje. Empujamos algunos caramelos admirando el vertiginoso vacío por donde habíamos subido. El día estaba decididamente nublado pero en ese momento no presagiaba nada malo. Con este pensamiento optimista, partimos.

En los primeros metros aparecieron bloques fracturados que permitían la escalada libre, acrobática, licenciosa. De vez en cuando colocaba un clavo de seguridad pero procuraba no abusar; entendía que cada uno de ellos era vital para nosotros y no teníamos tantos como para desperdiciarlos en fisuras o accidentes sin importancia. Surgía la eterna lucha entre la seguridad anhelada y la mesurada utilización de los elementos. Los dos trepamos con las mochilas puestas pues hubiera sido engorroso tener que izarlas. Aunque esto también tenía sus inconvenientes al encontrarnos, por ejemplo, con chimeneas; algunas eran anchas y no había problemas, pero otras, las estrechas... ¡Ay, mi Dios! Teníamos que hacer malabarismos.

Una conclusión positiva: estábamos en muy buena forma

En esta parte hay tramos simples y otros extremos. Se trata de una sucesión de largos muy difíciles de describir porque no tienen características propias: a veces son travesías Dülfer y chimeneas. Pero sí sacamos en limpio, que estábamos en muy buena forma. Las ascensiones anteriores y la de esa mañana nos habían galvanizado, llevando los límites de la adherencia hasta fronteras de las que yo mismo me sorprendía. Era casi un estado de gracia. Evitaba utilizar en lo posible las cuñas de madera, pues su fragilidad no permitiría la recuperación. Mi imaginación estaba en el descenso, y continuamente hacía cálculos; el surtido de clavos que teníamos apenas nos alcanzaría para descender los primeros mil metros. Eso siempre y cuando hubiéramos conservado la totalidad de ellos cuando llegáramos a la cumbre, cosa bastante improbable pues la extracción es una operación de por sí delicada a causa del material demasiado blando.

La temperatura era agradable, no soplaba viento y por la tarde el sol nos regalaba algunos rayos vivificantes. Todo parecía salir a la perfección. En cierto momento encontré la salida de una chimenea extremadamente dificultosa, muy abierta y extraplomada; subí en libre lo más que pude, pero no había más remedio que resolver la salida con unos metros de artificial. Esto me puso de bastante mal humor y perdí tiempo y algunos clavos.

Las horas pasaron sin darnos cuenta

En todo el día no nos detuvimos más que unos momentos al terminar el hielo; habían transcurrido las horas sin que nos hiciéramos cargo de todo lo que teníamos en nuestro haber. Estábamos tan concentrados que nos sorprendió el ocaso sin haber hallado todavía una plataforma donde instalar el vivac. No obstante, proseguimos la ascensión en la penumbra para poder ganar los últimos metros de aquel día. Cuando la oscuridad fue completa nos detuvimos en un tramo no tan inclinado.

En toda la canaleta no hallamos un solo lugar plano; esto no dejaba de extrañarme pues en granito de esta calidad siempre abundan los bloques fracturados en sus topes, que ofrecen, así, una plataforma donde poder instalarse. Hasta el momento no había aparecido ninguna. Adivinaba una algo más arriba, pero la luz no nos daría tiempo de alcanzarla, y no tuvimos más remedio que colgar las hamacas y arreglarnos para cocinar sosteniendo todo con las manos.

Un momento de relax

Al detener la ascensión, nuestros nervios se distendieron, se tranquilizaron nuestros espíritus y despertaron nuestros estómagos olvidados. Apenas si habíamos comido algo en quince horas de escalada y eso lo sentimos en ese momento de vivac, con toda violencia. Calentamos un café con leche que ya estaba mezclado con azúcar, facilitando su preparación, en especial en una situación como ésta en que no podíamos movernos mucho. Por fortuna, muy cerca teníamos unos manchones de nieve, que no tardaron en derretirse.

Con su murmullo, el calentador parecía adueñarse de la canaleta que en ese momento había quedado silenciosa. Era como si, sorprendida por una presencia extraña, renunciara a sus defensas y procurara ahogarnos con su mutismo. Sólo el calentador hablaba y nos reconfortaba con su cálido presagio. Apenas entibiado, el café no tardó en desaparecer. Le siguió una sopa con galletas o fracciones de las mismas por el mal trato recibido y algún caramelo como postre. Aseguramos en forma especial los clavos y nos dispusimos a pasar la noche. Nos metimos en las bolsas con los zapatos puestos, para que no perdieran calor; de esta manera por la mañana no sería tan engorroso calzarlos nuevamente.

A ochocientos metros de la cima

Nos entretuvimos calculando la altura en la que estábamos; la cumbre del Piergiorgio estaba casi al mismo nivel de nuestro vivac, y probablemente nos separarían de la cima unos ochocientos metros. Las condiciones del ambiente que nos rodeaba se habían convertido, en forma paulatina, en las clásicas invernales.

A la altura en que nos encontrábamos, la humedad de las nubes se congelaba y bloqueaba todas las fisuras, a la par que recubría el granito con una ligera pátina transparente de rocío congelado. En ciertos pasajes esto hacía que el granito fuera un verdadero peligro; sobre todo, porque no se distinguía la roca de la escarcha.

La noche estaba serena como nunca y las estrellas brillaban el doble por la ausencia de la luna. Calculamos que el día siguiente sería mejor aún que el que estábamos viviendo; esto nos tranquilizó y el sueño no tardó en llegar. No obstante, la posición de las hamacas era incómoda y me desvelé repetidas veces durante la noche; en cada sobresalto pensaba que era el amanecer. Me impacientaba no saber la hora, pues no quería quedarme dormido cuando el lucero apareciera en anuncio de la alborada.

Cada uno se remontaba en sus propios recuerdos y surgían momentos pasados en la montaña en experiencias anteriores. Personalmente renacían mis primeras subidas en El Paine, en los Alpes, en Perú, en las que solía repetir el paisaje de las ascensiones al Fitz Roy tal como me las imaginaba. Cada cumbre era un paso adelante para ésta en la que nos encontrábamos. Cada célula de mi cuerpo estaba alerta para ser utilizada en esta empresa que, en ese momento, vivía como algo muy normal y natural.

La aparición del lucero

Las primeras luces nos encontraron ya listos para comenzar la escalada. Estimaba que en el día podíamos llegar a la cumbre y volver a tiempo al lugar del vivac. Por lo tanto dejamos las bolsas y el calentador, y sólo llevamos lo indispensable: una mochila con una Sarsky, algo de comida y una pequeña cinta celeste y blanca que oficiaría de bandera. A poco de iniciar la escalada, equivoqué el camino y tuve que desandar unos metros para retomar la ruta correcta. La roca presentaba algunos tramos no muy sólidos por su formación escamada; había que tener el cuidado de elegir la piedra buena para apoyarse sin peligro de que se desprendiera. En otros era necesario calzarse el grampón que me quedaba para superar la sección *englaciada*. El otro grampón se había desprendido de mi cinturón el día anterior, unos minutos después de terminar con el hielo.

A medida que ganábamos altura se iba definiendo la salida de la supercanaleta. Un gran diedro de unos doscientos metros de altura clausuraba el *couloir*; ascenderlo hubiera demandado demasiado tiempo y material. Por fortuna adiviné a mi derecha una posibilidad mucho más halagüeña. Se trataba de un anfiteatro de buena roca que mostraba en su medio una serie de fisuras y bloques a primera vista muy practicables y que además estaban iluminados por el tan ansiado sol que relucía cálidamente. Dentro de la canaleta el clima era severo; por el hecho de estar siempre en sombras, sus paredes presentan una serie de estalactitas de hielo que relucen como las barbas de algún personaje mitológico.

Una unidad con la naturaleza

Los largos se sucedían con una buena cadencia. Estábamos en excelente forma y las condiciones atmosféricas no podían ser mejores. Sentíamos realmente el placer por la escalada, los músculos nos respondían como lo haría un motor bien afinado, hasta tal punto que nos olvidamos de la existencia de una meta: la cumbre a la que queríamos llegar. Era algo tan extraordinario que entramos en una especie de éxtasis. Nos parecía estar formando un trío con la naturaleza, y nos movilizábamos como un conjunto. Tan integrados estábamos que posiblemente era sólo una unidad que nació allí, a esa altura y en el Fitz Roy. Calculo que esto sucede sólo una vez en la vida, y que resulta muy difícil de transmitir. Tampoco se le puede dar una explicación lógica y acertada.

Cuando encontramos algunos hilos de agua producto del calor de esa tarde maravillosa, tomamos la mayor cantidad posible acumulando líquido para las próximas horas. La dificultad en esta sección oscila entre cuarto y quinto grado y utilizábamos sólo algunos clavos de seguridad cada tanto; a las cuatro de la tarde superamos el anfiteatro ganando su cresta y fue allí, en ese filo, donde tropecé con el espectáculo más increíble que vi en mi existencia.

La paleta de un pintor enloquecido

En primer plano, el indescriptible Torre que apareció allí muy cerca y un poco más abajo de nuestro nivel. Parecía señalar el comienzo del hielo continental que cubre todo el horizonte hasta donde alcanza la vista. En ese lugar surgen, como aparecidos, un pandemónium de cumbres y glaciares, con sombras y colores que ni la paleta de un pintor enloquecido podría imaginar. Una pared cóncava desaparecía bajo nuestros pies, reapareciendo infinitamente abajo junto al glaciar Piergiorgio.

Nuestra cresta parecía conducirnos, a pesar de algunas dudas, hacia la sección nevada de la cumbre del Fitz Roy. Esta extensa travesía presenta algunos gendarmes o bloques de dudosa accesibilidad. Nos permitimos un descanso antes de proseguir la escalada, comimos algunos caramelos con pasas de uva y bebimos agua que una marmita eólica había juntado para nosotros. Mientras tanto observaba la ruta. Al verla, calculé que después de trescientos metros de largo, las dificultades habrían terminado; una pendiente de nieve llevaba hasta la cima. Entonces tomamos conciencia de que era por esa cumbre que estábamos allí, como si con la visión de la cima hubiéramos despertado de un sueño en el que nos habíamos sumergido durante esas horas de batalla. Una explosión de realismo invadió nuestro espíritu acuciándonos a continuar. Carlos estaba un poco preocupado pues no veía muy claro la ruta a seguir. Por mi parte, algo me decía que no tropezaríamos con grandes problemas.

Nos guiaba un inexplicable y certero instinto

No podía creer que luego de una ascensión hecha con tanta unidad, guiados por un inexplicable y certero instinto, se interrumpiera por algún bloque infranqueable. Una travesía expuesta nos llevó a una serie de cornisas que ascendían en diagonal unos metros por debajo de la cresta. Al llegar a un gendarme intenté pasar por la derecha pero luego de algunos clavos, descendí al punto de partida. Probé por la izquierda bajando una corta distancia y, como imaginaba, existía en efecto un pequeño bloque adherido a la pared que me permitió pasar a la continuación de los balcones por donde veníamos escalando. Finalmente teníamos la cresta sólo a unos metros. Exaltados por la proximidad, aceleramos los trámites con la soga que, a esta altura de la ascensión, mostraba las señales evidentes de su trabajo. Al terminar el filo sólo nos quedaba un corto rappel que instalamos de inmediato. Descendimos quince metros con algún péndulo hacia la derecha, pisando nieve de la pendiente tan esperada.

La cumbre ya no opuso resistencia

Entonces sí supimos que la cumbre no opondría más defensa; fue allí donde el Fitz Roy había sido vencido. El sol estaba muy bajo; casi a la altura del horizonte, unas nubes que no presagiaban nada bueno, teñían de rojo el atardecer. Trescientos metros más y habríamos alcanzado la cresta somital. Antes de proseguir sugerí a Carlos, que hasta el momento había oficiado de excelente segundo de cordada, que tomase la delantera, pues en cierto modo necesitaba, anímicamente, relajarme de la tensión que había sobrellevado hasta esos momentos. Me dijo que no se sentía con aire para hacerlo. Nos pusimos en marcha, pausadamente, en busca de la cumbre.

Una nieve como algodón cubría el sonido de nuestros pasos. En un instante pensé en la ruta por donde iniciaríamos el descenso. Una posibilidad era la francesa, pero desconocía el comienzo de esa bajada, y desde allí sería muy difícil encontrarla. Mi pensamiento se fijó en ese gran diedro que clausuraba la salida de la supercanaleta. Me preocupaba la provisión de clavos; sólo nos quedaban unos doce y con ellos debíamos bajar mil metros, descontando los iniciales en los que utilizaríamos los de Bariloche.

Eran las nueve de la noche cuando asomamos nuestras cabezas por encima de la segunda cumbre: el espectáculo era magnífico. La sombra del Fitz Roy se proyectaba sobre

el desierto patagónico que se extiende hacia el este por kilómetros y kilómetros. Separados, recorrimos el corto filo
que nos distanciaba de la cumbre verdadera. Algo que
nunca podré olvidar: una especie de sendero que mostraba
hacia un lado la noche apoderándose del desierto y hacia
el otro, el ocaso que iluminaba toda la cordillera. Al fondo,
el inmenso lago Viedma dividía con su pálido color una zona de transición entre el este y el oeste. La cumbre, *nuestra
cumbre*, estaba suspendida en medio de este paisaje.

Palpamos la felicidad hasta las lágrimas

Parecía ser algo más onírico que verdadero; en realidad,
una sinfonía visual marcaba con sus pasajes más poderosos nuestra llegada a la cima. Al pisarla, un explosivo llan-
to surgió del fondo de mi alma y me asombré con mis lá-
grimas; por un instante palpé la felicidad, aquella con ma-
yúsculas que tantos hombres persiguen, a veces sin hallar-
la jamás. En ese segundo mi existencia se iluminó con una
visión desconocida del universo que nos rodeaba. Era la
entrada en un mundo largamente soñado, como la búsqueda de una obra maestra inacabada. Pero allí, sobre esas piedras, nosotros la habíamos encontrado. Nos abrazamos llenos de emoción, sin poder articular palabras; sólo hacíamos torpes gestos que expresaban nuestra alegría. Transcurrieron varios minutos antes de lograr serenarnos. Era el
16 de enero de 1965.

Un poco más tarde nos dedicamos a observar con más
detenimiento el paisaje: hacia el norte, distante doscientos
kilómetros, sobresalía el San Lorenzo con su imponente figura; luego el Lautaro, que emergía como una atrevida isla en medio del hielo continental. Buscábamos el Pacífico,
pero un frente de tormenta obstruía los fiordos detrás del
Moreno. Tomamos fotografías en todas direcciones.

La cinta celeste y blanca

Recién entonces nos acordamos del mosquetón que los franceses habían dejado en la cumbre. Lo encontramos debajo de una pequeña pirca, dentro de una cavidad llena de humedad congelada por la altura. Depositamos nuestra cinta celeste y blanca y volvimos a taparla con las piedras de la pirca. Pasada una media hora emprendimos el descenso abandonando ese lugar que nos costó tanto alcanzar. Era como dejar el domicilio de algún mago que nos había tocado con su varita.

Por fin tomamos conciencia de lo que estábamos experimentando. Ahora afrontábamos una realidad muy diferente de la vivida cuando llegamos a la cumbre.

Un descenso apresurado

Una tempestad se aproximaba y debíamos acelerar la retirada. Nos quedaba media hora de luz y queríamos descender, por lo menos, el gran diedro inicial. Instalé el cordín para comenzar con el primero de los incontables *rappeles* hacia la seguridad. Sin pensarlo dos veces, nos zambullimos en el oscuro abismo que nos esperaba. La luz disminuía con rapidez; hacia la mitad del diedro ya había desaparecido. Con los dedos ubiqué las fisuras para poner los clavos; en una de esas operaciones se me cayó uno. No me faltaron los adjetivos para lamentar la pérdida. Hicimos cuatro *rappeles* más y estuvimos sobre la ruta de subida. El descenso se complicó un poco por la falta de los grampones para evitar resbalar en los tramos *englaciados*. La noche era cerrada, pero no nos detuvimos tratando de alcanzar el vivac anterior. Continuamos la bajada sólo por el hecho de descontar metros que nos alejasen de la cumbre.

Queríamos evitar que la tormenta nos sorprendiera demasiado alto, pues nos cortaría cualquier posible retirada. A la una de la mañana se nos terminaron los clavos y tuvimos que detenernos. En un manchón de nieve compacta atornillé el único clavo de hielo que nos quedaba pues calculé que si se solidificaba bien durante la noche, a la mañana siguiente podríamos utilizarlo para continuar con los *rappeles*. Nos aseguramos y, enfundándonos con el *sarski*, nos dispusimos a pasar la noche aunque no teníamos las bolsas. Estábamos sobre una plataforma inclinada y con nieve que nos deslizaba continuamente hacia afuera, empujándonos hacia el vacío. Para entretenernos durante la larga espera, comentábamos las vicisitudes del día. El viento había llegado y calculé que por la mañana continuaría con lluvia. No importa, me dije, de alguna manera tendremos que pagar nuestra victoria. Ahora es cuestión de no cometer errores y estaremos a salvo.

Con la claridad nos pusimos en movimiento. Después de la mala noche pasada, los primeros momentos fueron algo difíciles: estábamos duros y ateridos, y hasta no entrar en calor extremamos los cuidados para no hacer ningún movimiento torpe. Una vez comprobada la solidez del clavo, confié cuidadosamente mi peso, dejándome deslizar hacia abajo. El lugar del vivac de subida no podía estar muy lejos. En efecto, lo encontramos a nuestra derecha, a unos cuarenta metros. Todavía no había comenzado a llover y aprovechamos esta circunstancia para hacernos un buen café con leche que supo de maravilla. Esto nos repuso y nos devolvió el buen humor para enfrentar los mil metros de *rappeles* que nos faltaban.

¡Los gritos de nuestros compañeros!

En ese momento escuchamos los gritos de nuestros compañeros que debían estar esperándonos en la base; esas voces, en las condiciones en que estábamos, nos reconfortaron muchísimo. Lamentamos no poder contestarles, pero la tormenta invadió la montaña. Entonces, proseguimos los *rappeles*.

Ahora tendríamos que usar los clavos que no habíamos podido recuperar en la subida o recurrir a los cordones de los estribos que empezamos a desarmar. Memorizaba los lugares donde habían quedado y afortunadamente dimos con ellos en repetidas ocasiones. Recuperarlos nos hacía perder algo de tiempo pues no siempre estaban a cuarenta metros exactos y acortaban los *rappeles* a la altura donde estaban (20-30 metros). Comenzó a caer nieve mezclada con agua y a medida que descendíamos se iba transformando en lluvia más y más espesa.

El grampón extraviado

A mediodía llegamos al *couloir* de hielo. Allí recogimos las piquetas y calzamos los grampones que, para mí, fue "el grampón". La canaleta se había transformado en una trampa, la caída de agua arrastraba piedras y aflojaba el hielo, por lo tanto continuamos sin utilizar los *rappeles*. Hasta no dar con los clavos de Bariloche no podríamos hacer otra cosa que destrepar. Luego de cien metros encontré mi otro grampón milagrosamente atrapado por la nieve y muy cerca del primer clavo.

Continuamos la bajada. La soga pesaba el doble por el agua que iba absorbiendo y nosotros hacía rato que estábamos calados hasta los huesos. Sólo el instinto de conservación hizo que no detuviéramos un solo segundo las operaciones del descenso. Trescientos metros antes de la rimaya final, la soga se bloqueó en una arista y ninguno de los dos tuvimos las fuerzas suficientes para subir a recuperarla; entonces la cortamos. El couloir era una verdadera cascada y el agua que corría debajo de la nieve bajaba con tanta fuerza que rompía en algunos tramos la superficie del hielo que la cubría. A veces no quedaba otra alternativa que descender por ese chorro que arrastraba consigo piedras y bloques de hielo. Desencordados destrepamos lo que faltaba. Al llegar a la *rimaya,* ahora mucho más abierta, saltamos por encima de ella despreocupándonos de cómo caer.

Al borde de nuestra resistencia

A las seis de la tarde pisamos el plano del glaciar. Estábamos al borde de nuestra resistencia. Inexplicablemente no encontramos a ninguno de los compañeros que deberían haber esperado nuestra llegada en ese lugar. Grité y busqué detrás de las piedras pero sólo el viento contestaba mi llamado. Era algo difícil de comprender, pero evidentemente resultaba inútil esperar. Sólo unas latas vacías demostraban que habían estado allí, y seguramente se habían vuelto ante la llegada de la tormenta. En ese momento se aproximaba Carlos. Sintiéndonos acorralados por el frío, la tempestad y el agotamiento total, le recomendé encarecidamente y como única salvación, que me siguiera sin detenerse un solo instante. En caso de que se rompiera el ritmo de marcha estaba seguro de que no podríamos retomarlo jamás. Es notable cómo en esos momentos en que la muerte toma forma tangible, uno no pierde la noción de la belleza que lo rodea; recuerdo que por un instante dirigí mi atención al Piergiorgio observando lo imponente que lucía entre aquellos negros nubarrones y, como él, todo el valle. Nos atamos con el resto de soga que quedaba, escapando hacia el campamento base. Era preciso correr para llegar a tiempo y no perder calorías; y, lo que era peor, mi razonamiento no funcionaba como debía, y equivocaba siempre el camino entre las grietas. En varias ocasiones elegí el puente más delgado, y tuve que volver hasta encontrar el bueno. Al llegar al acarreo peligroso, colocamos la soga fija para descender una primera laja muy mojada y resbaladiza.

Caminamos como fantasmas

Carlos me dio una pastilla para reanimarme, pero creo que me mareé mucho más. Caminábamos como fantasmas entre los escombros del glaciar. Me tentaba la idea de refugiarnos en la Cueva de los Científicos, pero la imagen del campamento base pudo más, impulsándome a continuar. En forma mecánica poníamos un pie delante de otro, avanzando simplemente por reflejo. En cierto momento y en la penumbra del anochecer, la gran piedra del Fraile tomó forma, casi como una aparición. No podíamos creer que habíamos llegado: era la segunda escalada mundial al Fitz Roy.

Instantáneamente me derrumbé en medio del círculo que formaron nuestros compañeros.

X. YERUPAJA, PERÚ

C ada vez que estoy en las montañas pienso que hago un viaje a través de la historia, que retrocedo en los siglos y encuentro todo en estado puro: el hombre, el mundo. Uno vuelve a ser lo que debió haber sido al nacer, si la ciudad se lo hubiera permitido: alguien a quien luego el cemento desfiguró. Y encuentro, también, que las montañas, tienen en su faz, junto con la del mar, la más antigua que nos presenta la tierra.

De todos los cerros que he conocido, los de Perú son los que más me hacen sentir ese estado: me hacen retroceder y vivir en tiempos pasados. Sus hombres conservan los rasgos originarios con los que nacieron hace tanto tiempo en suelo americano; inclusive mantienen sus hábitos, arraigados fuertemente en la historia incaica. Las montañas, con sus elegante líneas, hablan de un capítulo espectacular en la fantasía de la tierra. Todo esto contribuyó a mi enamoramiento de Perú, y a que retornara tres inviernos seguidos. Con este estado de ánimo comencé a escribir esta historia.

De las montañas del Perú, indudablemente, la que se lleva las palmas en cuanto belleza es la cordillera Huayhuash. Allí se eleva la segunda cumbre del Perú, el Yerupaja, con sus 6.610 metros de hielo, elegancia e imponente presencia.

Cuando regresé de mi primera expedición a esa zona, en junio de 1964, llevaba viva en la memoria, una fabulosa pared de esa montaña, la sudeste. Por su pureza de líneas y la esbeltez de la ruta que presentaba, me dejó prendado por un largo tiempo hasta que, en julio de 1965, con Carlos Comesaña, nos encontramos encordados al pie de nuestra pared.

Las interminables jornadas del viaje hasta llegar a ese lugar quedaban muy atrás. El campamento base, allá muy abajo, pertenecía al pasado; ya no estábamos ligados a él.

Habíamos logrado una integración psíquica y física con la empresa que estaba por comenzar. Cinco días en el campamento de altura nos permitieron esa aclimatación integral; por otra parte, serios intentos de escalar las cumbres que nos circundaban habían logrado en nosotros un afinamiento total.

Esos cinco días habían transcurrido con cierta monotonía, ya que no teníamos más que preocuparnos por beber, comer y dormir. El tiempo, contradiciendo sus antecedentes hasta la fecha, se había mantenido bueno; inclusive no podíamos permanecer dentro de la carpa sin aislarla con toda la ropa de que disponíamos. Me acordaba de los relatos de Marinai en el Masherbrum IV: el sol calcinando a los hombres, los ánimos y las esperanzas...

El pensar que un sol ardiente, en plena pared, nos haría pasar las de Caín, alimentábamos -cosa rara en la montaña- la secreta ilusión de que se descompusiera un poco.

Y así fue: en la fecha acordada para partir, las nubes, haciéndose partícipes de nuestras intenciones, acudieron a ayudarnos, cubriendo a los hombres, la montaña y los valles.

La pared, en ese momento, estaba ya largamente observada y memorizada, no escondía secretos ni rincones que no conociéramos. Sólo faltaba entrar en acción.

La conformación, muy simple, nos ayudaba enormemente: era un inmenso triángulo de una altura de 1.000 metros, que remataba en un vértice superior con la cumbre sur de la montaña; el ataque estaba en la base, justo en su medio, coincidiendo con un accidentado pase sobre la rimaya. De este modo, prácticamente a ciegas en medio de la neblina y las ráfagas huracanadas, sabríamos con exactitud dónde estábamos en cada instante. El material con que contábamos era perfecto; todo imprescindible: cada elemento cumplía su cometido y, por momentos, varios a la vez. Los zapatos dobles recién estrenados nos hacían sentir muy optimistas; con sólo seis kilos en las mochilas teníamos una autonomía de tres días en pared, contando, inclusive, con una pequeña carpa y bolsas de dormir. El inicio de la pared se hallaba lo suficientemente alto como para sentir desde el primer momento las incomodidades de la altura; no obstante, nuestra aclimatación nos permitía evolucionar con facilidad y solucionar los inconvenientes que íbamos encontrando.

La nieve, muy honda, nos impedía llegar a la pared con la rapidez que deseábamos. En una hora y media recorrimos la corta distancia que nos separaba de la carpa a la muralla. Las primeras luces caían sobre nosotros cuando traspusimos un delicado paso en la rimaya inicial.

Inesperadamente el tiempo empeoró. La visibilidad se redujo a unos pocos metros y el termómetro bajó con rapidez a 18° bajo cero; los metales quemaban al tocarlos con las manos desnudas. Nos enfundamos en los *duvet* y, rítmicamente, progresamos ya en plena faz. La inclinación fue, desde un primer momento, uniforme en los 67°, la consistencia se mantenía ideal para un rápido avance. Las operaciones se desenvolvían con toda la exactitud posible; al terminar los 50 metros de soga, colocamos la piqueta de seguro en un escalón y vociferamos un ¡venga! a todo pulmón para escucharnos, ya que no nos podíamos ver.

De tanto en tanto, la nevada introducía dentro de las capuchas una nieve helada, por demás desagradable.

Estábamos tan abstraídos, que en esa jornada no comimos nada. A mitad de la tarde, la pared presentaba unos tramos de hielo vidrioso y duro como el diamante; ya habíamos observado esas formaciones a unos 500 metros por debajo de la cumbre y a unos 150 metros de las cornisas que floreaban la arista izquierda de esa pared.

Por otra parte, el cambio en el sonido del viento nos indicaba que esta arista no se encontraba demasiado lejos. Sin duda, instalaríamos allí nuestro vivac. Esos tramos de hielo vivo nos dejaban un sabor metálico, ese sabor que tantas veces hemos experimentado en las situaciones extremas. No tallábamos escalones ni poníamos un solo clavo para no reducir nuestra velocidad, y la pendiente; poco a poco, iba aumentando. Esos largos quedaron atrás cuando el día tocaba a retirada; a las siete de la tarde, repentinamente, no hubo más pared delante nuestro, sólo un insondable precipicio desde donde se atisbaba la lejana laguna del Sarapo.

Estábamos sobre las cornisas, tan temidas como esperadas. Se trataba de balcones que se proyectaban como la espuma de las olas gigantes de algún mar furioso hacia el espacio que parecía sostenido por la tormenta.

Vivíamos un momento sumamente delicado puesto que una falla en esa estructura nos haría repetir la desgracia de los alemanes en el Siula cuando se les rompió una cornisa de nieve y cayeron en el valle. El frío era intenso y el cansancio fatigaba nuestros nervios y energías. Retrocedimos con cautela, aprovechamos un mayor espesor en estas cornisas y tallamos un pequeño escalón para ubicar la diminuta carpa.

Una hora de trabajo nos dejó discretamente instalados. Tirar desperdicios implicaba sólo levantar el borde de la tela para que desaparecieran pendiente abajo, deteniéndose a pocos metros de nuestro campamento inferior. Este aparecía por instantes entre las veloces nubes y su imagen nos recordaba que éramos humanos; que amábamos la seguridad, el bienestar, la comodidad; que no por estar en esos momentos en un ambiente tan hostil, no pudiéramos sentirnos atraídos por un medio más amigable.

En el primer día habíamos hecho setecientos metros; estábamos satisfechos pues era un buen promedio. Nos separaban de la cumbre otros trescientos, con un acceso que no envidiaba a lo ya superado. Esa noche, a pesar de estar a 6.200 metros, nos resultó soportable. Bien abrigados con las bolsas de dormir nos entretuvimos haciendo té a discreción. Según mis cálculos, la temperatura exterior había descendido a los 25° bajo cero; lo notaba en la dureza de la tela que, congelada y azotada por el viento, golpeaba en nuestros rostros. Las condiciones no parecían mejorar. Así llegó el nuevo día y un sol sangrante se elevó por encima del Amazonas, inundando de luz la alta montaña. La parte superior de la pared presentaba esas estrías tan características de las paredes que dan al occidente en el Perú. Parecían enormes candelabros helados que buscaban en el cielo la culminación de la montaña; allí, por encima de ellos, estaba nuestra meta.

Lentamente reanudamos la escalada, ateridos y agarrotados por el frío; los primeros movimientos fueron como de autómatas, torpes e inseguros. La claridad de esos primeros momentos nos mostraba abruptamente dónde estábamos: el vacío por donde habíamos subido aparecía ahora bajo nuestros pies, como algo nuevo e insólito. Evitábamos esa visión concentrándonos para girar las cabezas; sólo la cumbre nos atraía. Retornamos al centro de la pared, para lo cual hicimos una larga travesía; no queríamos perder el elegante trazado de esa ruta y, a la vez, nos alejaríamos de esas desagradables cornisas.

El ritmo se hizo más lento que en el primer día, la altura era mayor y la mala noche se hacía sentir. Estábamos muy por encima de las demás cumbres y la nuestra se intuía cada vez más próxima; su poder ya nos afectaba, infundiendo nuevas energías a nuestros cansados pulmones.

La pendiente se erguía, con pausa, alcanzando los 70°. En la parte más empinada el hielo cambió súbitamente de consistencia y, a sólo cinco metros de la cumbre, se hizo imposible la progresión. La nieve, liviana y fría en extremo, se mantenía sólo por el viento de las grandes alturas y una baja temperatura casi constante. En este punto, la montaña se volvió a cubrir, lanzándonos de nuevo a la oscuridad. Nevaba sin remedio, y no había nada más que hacer: logramos la pared, mas la cumbre quedaría sin pisar.

El resto del día fue un continuo descender en medio de una intermitente caída de nieve. La pared, dado lo liso de su estructura, hacía deslizar la nieve que caía como una perfecta lámina inclinada. Cuanto más bajo estábamos más intensa era la cascada; ya en la *rimaya* constituía una franca catarata. A duras penas, y siempre a ciegas, desembocamos en nuestro campamento semisepultado.

Algo de lo que nos habíamos propuesto lo habíamos logrado. Regresamos de esos tiempos, retornamos de ese viaje al lugar en el que el hombre es hombre y el mundo es mundo.

Esta región fue ocupada, posteriormente a este relato, por Sendero Luminoso; estando clausurada por muchos años a la visita de expediciones extranjeras, es el día de hoy, casi en el 2000, que muchas rutas quedan por hacer, constituyendo una reserva de grandes itinerarios por descubrir.

XI. LAS SELVAS DEL PERÚ

Esta expedición la hice con un grupo de alemanes que conocí en la cordillera Huayhuash. Juntos escalamos el Hirishanca Chico, encantador cerro de 5.800 metros de altura; Helmut y Jochen se accidentaron al año siguiente, escalando en el sur de Alemania; con Rüdel mantenemos aun hoy esos lazos que nacen de la felicidad que compartimos en las montañas que escalamos y también, en esta pequeña aventura, en la jungla del Perú.

Comenzamos un viaje interminable a través de valles, crestas y nuevamente valles. A las siete de la mañana partía el colectivo, desde Lima, que nos llevaría hacia el interior. Eran las siete menos diez y mis compañeros no habían llegado a la terminal; parte de ellos estaban en Miraflores y otros esperando en la ruta. Conclusión: perdimos el ómnibus. Hablé alrededor de veinte minutos con un empleado de la agencia, pero no pude hacer que me entendiera que quería subir directamente en Chosica, paso obligado del vehículo. Con todo, me aposté en la ruta con la esperanza de que se detuviera. Al rato, lo vi llegar como una exhalación, sin ánimos de parar. ¿Qué hacer?

Mientras trataba de coordinar transcurrieron otros diez minutos (tan temprano no se está muy lúcido). En ese momento vi pasar como una bala a Helmut y compañía arriba de un taxi. Gracias a Dios me vieron y se detuvieron. Iban detrás del ómnibus que habíamos perdido. Logramos alcanzarlo en el kilómetro setenta; se había detenido en un control, uno de los tantos que abunda en *este controlado país*, por fortuna en este caso. Ya estaba repleto, y con nosotros cinco el ómnibus pareció *estirarse.*

Como estábamos en vísperas de las fiestas patrias, la gente emigraba a la selva, a la sierra o a la montaña. Lima parecía en pleno éxodo.

Una vez instalados en asientos incómodos, chicos y

apretados, seguimos el viaje. Por asfalto, primero y serpenteando por ripio, después; siempre ascendiendo, nos alejamos hacia el este.

A diferencia del anterior viaje a la cordillera Blanca, en éste no prevalecían los paisajes áridos; por el contrario, desde un comienzo, era fértil. Existía un raquítico pasto que tonificaba de verde las lomas y quebradas; verde que se iría intensificando con el correr de los kilómetros hasta convertirse en bosque.

Entre muchas curvas y caracoleos, se pasaba por los 4.300 metros, donde se hallaban las instalaciones de una planta metalúrgica de la Cerro de Pasco Corporation. Un pueblo minero, con sus carriles y cintas transportadoras, con sus camiones destartalados y repletos de mineral; con sus bares, bodegas y negocios subsidiarios.

Para ese entonces, ya era mediodía y paramos para almorzar. Resultó ser carne al horno, unas ranas fritas realmente a la altura de un buen restorán y una gelatina con durazno. Todo esto, navegando en cerveza. Todavía con el gusto de la bebida en la boca, regresamos al ómnibus, que iba atrasado o, si no, por lo menos, apurado; nos sacaba corriendo de cuanta parada hacíamos.

A veces, los trechos eran de asfalto; otros, de tierra. Parecía que no hubieran decidido cómo construir el camino y, en la discusión, salió eso.

Inicio de la selva peruana

En cierto momento la carretera se zambullía en un profundo valle, y allí, en esas profundidades, comenzaba realmente la selva peruana. Un infierno verde, una frondosidad y una altura cuya contemplación justificaba hacer el viaje.

Bananeros, papayas, paltas, cafetales, helechos y palmeras. Una verdadera ensalada sazonada por peñascos, arroyuelos y cascadas que descendían de las alturas. Desgraciadamente el tiempo no estaba con nosotros; nublado y con garúa, se convertía de a ratos en franca y sincera lluvia.

En el fondo del valle había un río que iba tomando forma; lo habíamos visto gestarse en todas sus etapas, en las cumbres de la alta montaña. Luego, ya líquido, en sus lagunas salpicadas de témpanos; en su tímido desagüe que alimentaba nuestros campamentos. Simple arroyo después y, más adelante, transformado en torrente rojizo y sucio, culebreaba buscando el Amazonas. Grande, cada vez más grande, iba tomando cuerpo.

Las casas, en su paso fugaz, a través de la ventanilla, parecían espiar desde la espesura del bosque. Diseminadas en éste y del otro lado del río, estaban unidas por puentes colgantes que, como un cordón umbilical, se comunicaban, a través de un torrente, con la otra parte de la ruta.

La fisonomía de las casas también había variado. Ya no se veían aquellas hechas con pircas y paja original de las regiones altas; ni siquiera mantenían la forma. Aquí la constancia de la lluvia había impuesto el techo de chapa y las paredes de hojas secas trenzadas.

Los pobladores y habitantes no eran ya las cholitas con sus sombreros característicos y sus lindas vestimentas; cambiaban los rasgos y también las costumbres y los colores. El indio de las alturas era el prototipo; aquí ya es un mestizo, y con la influencia de la civilización.

La destreza de los conductores peruanos

Por momentos, el camino era todo pozos; mojado como estaba, se transformaba en verdadero pantano y resultaba interminable. Había que hacer maniobras muy complicadas para lograr dar paso a otro vehículo, porque era muy angosto. Los puentes, todos suspendidos, se balanceaban y corcoveaban al paso de nuestro coche.

El río bullía furioso allí abajo y el chofer -en el Perú son increíbles- se llevaba las palmas. Por camino de cornisa se largan con todo, sin aminorar la marcha ni en las curvas ni en las rectas y, algunas veces, no con mucha suerte.

Del viaje que había hecho anteriormente guardo todavía

fresco el recuerdo de cuando se rompió la junta del tren trasero: lo vimos pasar corriendo, paralelo al colectivo. Ahí se desató el pánico. Estábamos en un camino muy angosto que bordeaba el precipicio. Recorrimos unos cien metros hasta quedar frenados contra el muro de contención, arrastrando la parte trasera. Fue todo tan rápido que nadie se dio cuenta de que habíamos nacido de nuevo. No te matas a seis mil metros, entre paredes y seracs, y puede muy bien que ocurra en un colectivo...

¿Dónde quedan los riesgos en la montaña?

A la altura de los de la vida cotidiana, con la diferencia de que unos -los de la montaña- son calculados y están a la vista; sólo hay que manejarlos de manera tal que no afecten negativamente.

¿Pero los de la vida cotidiana?

Vienen de donde menos se esperan, no los ves y sin embargo transitás entre ellos a cada minuto. Cruzás la calle, viajás a cien kilómetros, etcétera, y la gente nos cree héroes porque vamos a la montaña. ¡Qué lejos están de entendernos!

Llegó la tarde a su fin, sin ocaso, pues todo estaba en brumas. La selva había tomado un aspecto fantasmagórico, con sus imágenes esfumadas por la niebla. Todo se convertía en algo difuso y sin contornos.

De vez en cuando, hacíamos una pequeña parada para dejar descender a algún pasajero.

Comenzábamos a ver las primeras familias europeas, la mayoría alemanes. Otros de rasgos vikingos. En ese momento no era yo el motivo de observación, esa situación tan incómoda y desagradable que tuve en el Huayguash o en Huaraz. Ya no me gritaban ¡gringo! ni me rodeaban los chiquilines... Por suerte, porque eso me sacaba de quicio. El no pasar inadvertido me ponía de malhumor. Quería formar parte del pueblo que estaba conociendo desde adentro y no sentirme excluido por la situación de extranjero. No hubo país en el mundo en que me sintiera más forastero que en Perú; hasta los perros me salían al encuentro y me peleaban.

El indio de por sí odia la raza blanca; el indígena nos teme o trata de aprovechar cualquier excusa para sacarnos algunos soles... o latas vacías. Uno se siente material de exposición; esto lleva a tratar a todos de mal modo y con salidas cortantes... total, uno tiene los soles por los que ellos se desviven. Así de tirano se vuelve el extranjero.

Pero en el lugar en que estaba la gente, aparentemente, no era así.

Vino la noche y con ella el fin del viaje: Oroya, San Ramón, La Merced, Chanchamayo, los tenía grabados a fuego en mi baja espalda. Trece horas de traqueteo hacinados en una caja con motor.

Aparecen pobladores extranjeros

Por fin nos recibió Oxapampa. Húmeda por la reciente lluvia caída, con luces diseminadas cada tanto por las arterias. Una edificación baja, pobre y desigual, con colores que, a juzgar por lo que las bombillas iluminaban, parecía no tener un uso racional y estético. Al poco tiempo de llegar, nos dirigimos a la casa de unos amigos de Michael en busca de noticias de Horst, que había arribado con anterioridad. La casa era muy elegante, con piscina iluminada de un verdoso sideral, daba la impresión de una nave espacial que acababa de aterrizar. Al parecer, en ese momento se desarrollaba una pequeña gran reunión en el parque bien cuidado.

Nos atendió la hija, chiquilina de unos diecisiete años pero con aspecto de algunos más, bien *nuevaolera* y delicada. Se subió al portón para invitarnos a pasar; y a mí se me subió la sangre a la cabeza (en qué estado estoy, pensé). Dos meses sin ver más que indios sucios y mal educados, hielos y tormentas, y ahora esta brisa de perfume femenino, ¡me mataba!...

Hice de tripas corazón y puse cara de circunstancias; esto era de hombre educado. Conversamos con el padre, que era alemán. Nos dijo que Horst y su compañero se habían ido dos días antes a Pozuzo, nuestra próxima etapa. *Pusimos violín en bolsa*, y con la música a otra parte.

Al observarlos, pensé que era notable la idiosincrasia de esta gente alemana. Se encontraban con compatriotas, a miles de kilómetros de la patria, en un lugar de lo más apartado y primitivo, tan ajeno a los comunes recuerdos, y ni siquiera los habían invitado a pasar para tomar un café. Nada, en la puerta, y de lo más frío. La hija perdió varios puntos y al padre directamente lo aplacé.

Recorrí todo el pueblo tratando de comprar un pantalón, pero no existía mi medida. Al parecer los habitantes eran todos enanos. Maldije cien veces a Pete, que se había llevado los míos. Con los que tenía, me sentía fuera de lugar, incómodo y ridículo; por otra parte me producían un calor insoportable. Eso sí, con las sandalias que compré en Chiquián por sólo ocho soles logré la felicidad; eran frescas y confortables aunque no muy elegantes. Fue toda una adquisición.

Reflexiones sobre la selva y la montaña

Me resultaba curioso de esta aventura que, si bien era diferente de las andinas, no la envidiaba en peligros y, sin embargo, estaba con el ánimo tranquilo y apacible. No sentía esa impaciencia que habitualmente me consume e intranquiliza en los momentos que preceden a las partidas en montaña. Aprovechaba y gozaba de cada instante, cosa que no me sucede con los cerros.

Con ellos tengo que haber cumplido, para sentirme feliz y tranquilo. Haber cumplido con lo impuesto, haber superado todo eso que me he propuesto. Necesito regresar con esa experiencia, para comenzar a recordar.

Sé que está muy mal, me reprocho y trato de evitarlo, de ponerle freno, pues me lleva a tener roces con mis compañeros de expedición; la impaciencia, lo expeditivo que necesito ser, no me permite ver aquello que ánimos más sosegados tratan de hacerme comprender. Lo siento, la montaña me influye con otra intensidad.

En el cine daban "La venganza del guerrero"; era un poco tarde y ya había comenzado. Es una cosa que me entretiene mucho y que allí era baratísimo: la platea costaba cinco soles. El restaurante estaba en el mismo hotel en que nos alojábamos. Se llamaba Bolívar y cenamos en él. Qué diferencia con el de Lima, bien de *mala muerte*. Escribí algo y me dormí como un atún (¿dormiré?). La trasnochada en Lima y el viaje facilitaron la tarea.

Al día siguiente, 28 de julio de 1964, la pluma cobró vida para describir el ambiente. Se alejaba del hecho cronológico del simple diario, para navegar por este mundo que era el anticipo de nuestra aventura; de la selva propiamente dicha, del río que nos llevaba por ella. La pluma tenía su propia senda, la que ella eligiera, yo simplemente cabalgaba; a la pluma le había nacido el alma. El día, muy nublado, quitaba perspectiva a todo el escenario: hacía que los verdes se volvieran negros acerados, que sufrieran un cambio camaleónico tornándose del color del tiempo.

El árbol, un personaje olvidado

Los árboles perdían su proporción, y su forma se diluía en una mancha oscura que formaba el bosque. Curioso: en mis papeles aparecía por primera vez el término *árbol*. Antes solamente utilizaba la palabra *selva*; sola y a secas. Me olvidaba del personaje.

El árbol. Tan alto e imponente, solo, pasa inadvertido entre la multitud donde se confunde con los demás. Tiene un aire muy difícil de explicar, de definir, difícil por lo opuesto a lo que estoy acostumbrado a describir: las montañas. Cada una de ellas es un mundo aparte, y aparte también de las demás. Con personalidad propia y original, con algo potente que irradia, con algo fuerte que transmite.

En la selva, el conjunto se hace impersonal, algo muy débil, sin fuerza suficiente para definirse por sí mismo. Tiene un clima que, por ser de seres vivos, es humano en demasía. Uno allí comprende que ellos, esos seres vivos, han presenciado nuestra evolución, que han sido testigos de nuestro paso por el mundo. Fueron los que nos abrigaron,

los que nos dieron el fuego, nos alimentaron y nos prote-
gieron. En la selva viven otros seres que también forman
parte del universo y, entre ellos, estamos nosotros.

En cambio, la montaña es un mundo aparte, ajeno a toda historia humana, es una formación de hielo y piedra sin
ningún contacto con el hombre. Pero... ¿por qué siempre la
traigo a colación? Está en mí, no la puedo excluir. La llevo
muy adentro y por esto me he olvidado de nuestro árbol.
Alto, espigado, con su tronco blanco moteado de negro,
surge de la penumbra del bosque buscando cielo para nu-
trirse con su luz vivificante. En el viaje a las alturas, va ir-
guiéndose entre lianas, helechos y marañas que le hacen
más difícil su crecimiento y, en su afán por elevarse más y
más, se superan unos a otros, alcanzando así alturas increíbles. Algunos delgados y no suficientemente fuertes se en-
corvan y retuercen, caen y quedan como testigos mudos de
su lucha por la supervivencia. Pocas, poquísimas flores en
general; la falta de luz las hace desaparecer. Mejor dicho,
no las deja nacer. Los bosques son quemados, por tramos,
para dar lugar a los sembrados y frutales. Es un continuo
limpiar y quemar. Es una carrera contra la jungla, que lo
invade todo.

En Oxapampa se veían algunos aserraderos de madera
blanca y poco resistente; esta ciudad es el producto de esta industria, del bosque, de su marco. El pueblo, irradiado
de su plaza central, se extendía sin ningún orden por sus
calles paralelas. Un edificio moderno, el cine y otro a su lado y el correo. Las casas íntegramente de madera se disfra-
zaban con los más vivos colores. Predominaban los lilas,
los púrpuras y los colores chillones; las aberturas pintadas
de blanco daban la similitud con una ciudad de muñecas.

Un mercado que vendía todo y nada. Banderas enarbo-
ladas en todo mástil y balcón, música y desfile en cada calle. Era el 28 de julio, aniversario de la Independencia, con
San Martín presente en cada discurso. Nadie trabajaba, pero los negocios permanecían abiertos. ¡Por fin pude comprar el pantalón! Un poco corto, pero Ulla lo puso a la me-

dida. Una gran siesta, una cena picante a base de pollo y arroz y luego cine: éste era de lo más simpático. Moderno y con precios de acuerdo con la ubicación: atrás, adelante, arriba, al costado. ¡Bien de provincia!

El día siguiente fue de lo más agitado. A las dos y media de la madrugada nos despertó a bocinazos el camión que nos llevaría hasta el extremo del camino construido, a Pozuzo. La carretera aún no estaba terminada; faltaban unos treinta kilómetros que hicimos a pie por camino de senda.

Con respecto a la parte construida, entre lo oscuro que estaba, el sueño y los pozos, poco quedaba por relatar; por los barquinazos no pude cerrar un ojo y eso que entusiasmo no me faltaba. Entre parada y parada, sí pude echar un sueño. Cuando bajamos del vehículo había barro por todas partes. Por eso, de vez en cuando, perdía alguna de mis gauchas sandalias hechas con neumáticos viejos. Las pobrecitas, sobrecargadas de peso, patinaban y se empantanaban. Cada tanto, tenía que rescatarlas hundiendo el brazo hasta el codo y pescarlas del hoyo que había formado al hundirme. En uno de esos pantanos pinché el neumático: se deshizo el derecho al romperse una correa. Rengueando seguí caminando, pero llegó un punto en que ya no pude, me la saqué y resultó peor. Opté por sacarme la otra y tiré lejos las dos. Continué la marcha en medias; faltaban doce kilómetros para Pozuzo. ¡Qué programa! Entre piedras y maraña, al rato comencé a sentirlos. Despacio y con cuidado iba acercando distancias. Pisé una gata peluda que me quemó la planta. Estaba de malhumor, el calor, el cansancio... Los descansos se hacían más frecuentes; todo me molestaba, la mochila, los mosquitos... No veía la hora de llegar. Atravesé un puente colgante y del otro lado me encontré con gente que volvía; me dijeron que faltaba poco pero no cuánto.

Pasé delante de casas de aspecto más pulido y prolijo que las que había visto hasta ese momento. Chicos de cabellos albinos jugaban en las quintas; les preguntamos cuánto faltaba y nos contestaron que estábamos cerca. No me confié demasiado pues en el Perú tienen una noción distinta de la normal con respecto a la distancia y al tiempo. Hice un alto de rigor debajo de un naranjo y, a palazos, bajé fruta. ¡Deliciosa!, y más con la sed que traía... Seis, siete... no sé cuántas me comí.

Más adelante, a la vera del camino, un grupo de muchachos descansaba alrededor de un trofeo deportivo. Eran de un equipo que había venido de Oxapampa para enfrentarse con los locales en la cancha de fútbol. Habían ganado y regresaban. Me tomaron el pelo por andar *en patas* por estos lugares. Les seguí la corriente diciéndoles que era pobre para comprarme calzado. Harían noche más adelante; estaban un poco cansados pues también esa misma tarde habían jugado y todavía tenían treinta kilómetros que *digerir*. No los envidiaba; yo también estaba cansado, quería llegar, bañarme, comer... Me di cuenta de que no había probado bocado, y el día estaba llegando a su fin.

Pozuzo, una colonia alemana

Algunos kilómetros más y ya llegaba. Un pequeño núcleo de casas me salió al encuentro: campanarios de regular altura, el quiosco del mercado, música que salía de un galpón, banderas y una máquina de helados. Todo esto estaba en medio de un marco pintoresco de pequeños claros en el bosque, íntegramente rodeado por el horizonte. Atravesé el pueblo entre miradas de curiosidad y comentarios acerca de mis pies. ¡Qué manera tan original de caminar!

Nos alojamos en la parroquia; el cura, tirolés, era amigo de Ulla, pues ella había hecho el mismo viaje en el año 1958 con la expedición austríaca. Tuvimos una comida reparadora y directo a bañarme... ¡Ah, ah!, increíble, pero me sentía como nacido de nuevo, más optimista, todo me parecía mejor, el paisaje, la vida... Escribí un rato y llegó la comida.

Con nosotros se alojaba un grupo de alemanes residente en Buenos Aires. Conversamos con entusiasmo en los términos usuales para una ocasión como ésta: ¿dónde viven?, ¿qué están haciendo en el Perú?, etcétera. "Hubi" tocaba el acordeón entre una nube de insectos que revoloteaban en derredor de nuestro farol. Tuve que lavarme los pantalones: tenían tres kilos de barro...

El día siguiente amaneció tarde para nosotros, pues el trajín había sido duro y, por suerte, la cama cómoda. El colchón relleno de lianas secas nos aseguraba un dormir fresco. El desayuno ya frío de tanto esperar sabía a gloria, los huevos desaparecían en un santiamén; les siguieron las tortas, los panes, el café y las naranjas. En poco tiempo la mesa quedó desierta.

Salí a caminar por la orilla del río y luego subí al centro a comprar unas zapatillas para reemplazar las que había perdido. Hacía un calor insoportable; era imposible mantenerse un rato al sol sin transpirar copiosamente. El resto de la mañana la pasé en la pequeña pileta con agua de vertiente que la parroquia había construido a modo de baño. Lavé ropa que no tardó en secarse; los pantalones me llegaban arriba del tobillo, tanto era lo que habían encogido; Ulla tuvo que seguir alargándolos y con todo no quedaron a la medida. Por el precio que pagué por ellos, estaba previsto qué iba a suceder.

Rodeado por este paisaje maravilloso vivía el hombre que había construido el pueblito llamado Pozuzo. Estaba en una colonia alemana fundada en el año 1857 por el barón Cosme Damián von Shutz Zu Holz, que fue un explorador fanático de esta selva y logró del gobierno peruano la adjudicación de 60 "morgen" (medida de esa época en Alemania) de tierra en el valle que estábamos recorriendo. Junto con la adjudicación tuvo la promesa de la construcción de un camino apenas llegaran los primeros colonos.

Doscientos emigrantes partieron de Europa: de Alemania, del Tirol, de la Renania. Demoraron dos años en llegar y arribaron sólo 130. Talaron los bosques, quemaron la maleza, hicieron una senda que los uniría con el exterior y permanecieron desde entonces en esos lugares. Transformaron lo inhóspito en la fertilidad que vimos después. Dos

mil personas habitaban este valle, dedicados al cultivo del
café y a la cría de vacunos; exportaban unas doscientas cabezas anuales. Ciertamente, para la Argentina significaba
una cifra ridícula, pero en esta zona del Perú era así, pues
lo adverso del terreno hablaba por sí solo.

El centro de este valle lo constituía un simpático conjunto de edificios donde la electricidad no existía, con pocas
casas, pero con dos iglesias católicas, una escuela y una
máquina de hacer helados que funcionaba solamente para
las grandes ocasiones.

Una represa movía los martillos de una desgranadora
de arroz para consumo interno, producto fácil, barato y rápido de cosechar. Anegaban una parcela, sembraban y, a los
dos meses, lo cosechaban, se limpiaba de maleza y vuelta a
sembrar. Esto era así todo el año y explicaba la fertilidad de
la tierra.

Los naranjos, por ejemplo, daban fruta en todas las
temporadas; los cosechaban y volvían a crecer; se pudrían
en el suelo por la abundancia y el poco consumo. Papaya,
plátano, café crecían por doquier.

A 820 metros sobre el nivel del mar, este lugar gozaba de
un clima privilegiado para estas latitudes; estábamos en
invierno, la temperatura no bajaba de los 20 grados y así se
mantenía durante todo el año. Seis escuelas estaban diseminadas por el valle y tenían sus límites a 40 kilómetros de
distancia; seis maestros, cuatro de ellos descendientes de
los primeros colonos, daban clases a doscientos alumnos
que cumplían con el ciclo primario.

En 1959 lograron apoyo oficial de la embajada alemana y
recibieron una subvención para edificar una escuela y la segunda iglesia. Por entonces estaban abocados a la construcción de la usina hidroeléctrica que daría luz y nueva vida
al pueblo.

El hospitalario párroco tirolés

Una de las parroquias, bajo la tutela del padre Johann Pezzei, funcionaba como casa de huéspedes para los pocos visitantes de estos lugares. Sólo quince figuraban en el libro de firmas abierto en 1957 y casi todos eran nombres alemanes. El párroco tirolés, un hombre bonachón, verdadero arquetipo del cura de campaña, hacía quince años que vivía en este valle. Maestro en la escuela, electricista (él había instalado la pequeña dínamo movida por agua). Intérprete consumado de acordeón y guitarra, nos regaló hermosas veladas inundadas de insectos y mosquitos. Además tenía a su cargo la enfermería; como puede apreciarse, se trataba de un *hombre orquesta*. Llegó fin de julio y recuerdo que decidí aprovechar al máximo una mañana radiante de sol: armado con un libro, radio y crema solar, me quedé en la piscina hasta que empecé a parecerme a un *camarón*. Lo necesitaba. Siempre he oído decir que el sol nos fortifica y quema todos los miasmas que se acumulan en las épocas de sombra y en la montaña. Es imprescindible para la piel y, además, gracias al agua fresca y pura que cae de las vertientes se goza también de estos baños.

Al llegar el medio día el estómago me trajo a la realidad: era la hora del almuerzo. Con excepción de la primera vez, comimos en el otro edificio, en el internado de la escuela. El cura con sus dos amigos lo hizo en el comedor especial; nosotros separados. Volví a considerar que tenían una idiosincrasia muy particular. Ni quince años de América los hacía cambiar. Eran todos del mismo país y sin embargo mantenían distancias o, por lo menos, llevaban la convivencia de un modo muy particular. No se comía en la misma mesa. Eso me rebelaba; me apenaba que tuvieran un concepto tan distorsionado de la hospitalidad y de la manera de tratar con la gente. No sabía cuándo nos iríamos pero, comenzaba a sentirme incómodo.

En un momento dado me entró una gran ansiedad: que-

ría moverme, caminar, ver cosas nuevas; quería hace migas
con el río, nuestro río. Me lo había impuesto como primera etapa, como primer objetivo: necesitaba pensar en algo,
no podía abandonarme a los hechos; tenía que buscarlos.
Me resistía a dejar que vinieran, necesitaba ir a ellos. Y algo quedó claro: quería irme.

Descubriendo los secretos de la naturaleza

El tiempo continuaba su carrera. Venía la noche, esa noche tropical con mil y un aromas, plena de rumores de gri-
llos, luciérnagas y otros ruidos indefinidos, propios de la
selva. El aire estaba impregnado de aventura, de algo dramático y trágico, de un ambiente que denotaba una lucha
interior, de seres que batallaban por la supervivencia en un
mundo de supervivencia: los grandes contra los chicos.
Otros, de vida efímera, no existirían al amanecer. Había
flores que sólo se abrían por las noches y de día permanecían en sus capullos; eran las damas de vida ligera vestidas
de rojo, que sólo se paseaban muy tarde. Infinidad de esca-
rabajos y arañas aprovechaban la penumbra para salir de
sus moradas y procurar el sustento que de día comían los
pájaros. Las *pacacuras* se engendrarían en el ganado dormido, creciendo y nutriéndose de su sangre, a la vez que in-
fectarían sus carnes. Y así, el espectáculo de la noche tenía
miles de dramas.

Una mañana, durante el desayuno, me puse a observar
un picaflor que revoloteaba entre una mata de flores, todo
color y tonalidades. Parecía increíble que en un cuerpo tan
chiquito se diera tal variedad de matices; era brilloso y re-
luciente, bellísimo y delicado. De tanto andar por montañas había olvidado que existía un mundo así, colorido y viviente. Me había acostumbrado mucho al pulso inmóvil de
la roca, al blanco y al azul, pero no a este otro aspecto del
mundo.

Parecía simplemente infantil que me asombrara por todas las pequeñeces que en estos lugares resultaban cotidia-

nas: el canto de los pájaros, el vuelo del picaflor, el colorido de los bosques.

Me sentía descubridor de un planeta en el que todo era nuevo, que no se medía por su verticalidad y desnivel como en la montaña. No había que mirar al cielo sino al suelo, a nuestro nivel. La vista no se encandilaba por el hielo refulgente, sino que se esforzaba por penetrar la espesura.

El arte de la escritura

A veces pienso que la escritura documental es una fotografía, que debe explicar lo que se ve, que por sucesivas tomas debe dar la ubicación y descripción de cada cosa. También, al escribir, uno se impone la obligación de dar sentido a aquello que se observa; y no solamente sentido, sino forma y significado. Nos convertimos en investigadores, se abandona una cierta indolencia, se agrandan y se desmenuzan los pequeños hechos que ocurren a diario. Se desarrolla una membrana sensitiva para que todo eso, poco trascendental (aparentemente), se convierta en algo visto a través de una lupa y se mire con aumento. Otras veces se hace la vista gorda para no caer en el escepticismo, en lo extremadamente objetivo.

Con sinceridad no sabía cuál era el fin de estas notas; sólo que me lo había impuesto para no perder las impresiones que me hacían reaccionar. Por lo tanto, las transcribía. Por otra parte, era un placer tener una hoja en blanco y convertirla en espacio donde poder crear, algo que no se encontraba todos los días; jugaba con las palabras, no solamente les ponía orden sino que les daba énfasis; era como si pintara con letras. Coloreaba con expresiones. Finalmente pensé que no se trataba de un diario sino de un álbum.

El funeral de un niño

Pero volvamos a los hechos. Hubo un sencillo funeral
de una criatura de meses. Una pequeña comitiva de los
más allegados y el padre con el cajoncito en los brazos. El
sacerdote salió de la capilla con los enseres que se utilizan
en estos casos; una cruz y un incensario. Un chico los llevaba y el compañero iba con una jarra con agua bendita.

La comitiva se detuvo bajo un árbol y allí no más,
abriendo un libro, le dieron la bendición. Extremadamente
grande, del modelo para regar tierras el hisopo inundó a
la primera sacudida a todos los presentes. Para cerrar la ceremonia apenas un poco de humo de incienso, pues el
viento lo había consumido. Unas cuantas campanadas y
un corto recorrido hasta el cementerio: listo para el viaje a
la eternidad. Todo me resultó de lo más sórdido; es verdad
que cuando uno no está bien enterado del significado de
las cosas, puede tener sentimientos contradictorios. Me
chocó que después el cura se detuviera a comer una bana-
na y no hiciera algunas reflexiones sobre el acto. Me puse
a pensar en la increíble cantidad de fruta que yo comía en
el día: bananas, naranjas, papayas. Los árboles cargados al
alcance de la mano eran una tentación, no tenía más que
agarrar un palo y hacer puntería en las más maduras.

Las tres tirolesas que nos servían

El personal de servicio tenía una cocinera que era tan
vieja como el hambre, y dos hermanas un poco más jóvenes,
muy simpáticas y atentas. Eran tirolesas y hablaban un
dialecto muy especial.

Me gustaría detenerme en la descripción de Susanne;
delgadita, todo nervio a pesar de su edad, alrededor de los
cincuenta. Tenía unos ojos que no habían envejecido: claros, enormes y de una expresividad que conmovía. Todos
sus sentidos estaban puestos en sus ojos. Seguía la conversación moviéndolos permanentemente, reía, hablaba, escu-

chaba. También su boca, con una expresión impropia de la edad, estaba en constante movimiento que, generalmente, era una sonrisa. Vestida de blanco siempre, no trataba de disimular su pequeñez. Cuidaba y atendía mucho a los sacerdotes, especialmente al padre Luis, y siempre estaba pendiente de sus menores deseos. Era *dicharachera*, siempre tenía una salida cómica o un chiste en la boca. Conversaba y se interesaba por todos, y sentía particular atracción por los animales; al papagayo y al gato -que era una pintura de un tigre pichón- los cuidaba y los alimentaba. Incansable y trabajadora. La cocinera, grandota, reumática de una pierna, con la cara arrugada por la vejez y la cocina, con la cabeza cubierta por un eterno pañuelo en forma de cuadrado, hablaba poco y con un dialecto ininteligible; era lo opuesto de Susanne. Se destacaba y chocaba bastante la diversidad de dialectos que existía en ese valle.

Algo sobre los habitantes

Un hombre con todo el aspecto de serrano, con pantalones azules y camisa de vivos colores, arreando sus mulos cargados con sacos de café y con su perro, se detuvo y me saludó en un tirolés muy cantado. Los menúes estaban escritos en los dos idiomas -alemán y español- y uno no sabía con cuál comenzar a hablar. El indio que nos haría de guía era un borracho, casado con una alemana; no hablaba ese idioma, pero entendía todo. Me desorientaba pues no podía imaginarme que un personaje de esa naturaleza y en ese lugar fuera capaz de comprender el alemán.

La población llevaba allí alrededor de cien años y había quien nunca había visto un automóvil y cosas así.

En misa los hombres se sentaban separados de las mujeres, unos a la derecha y las otras a la izquierda. Algo que habían conseguido era dar las 12 con la campana, costumbre poco usada por los campanarios peruanos. Un domingo hubo conmoción en todo el valle, pues se celebraba la misa en la iglesia nueva; mucha gente caminó cinco a seis horas para estar presente en la ceremonia. Aprovechaban ese día para hacer sus compras en los comercios. Llegaban al poblado armados de unos paños de lino enrollados a la espalda.

Vestían sus mejores camisas y sus mejores pantalones. Los zapatos no podían dejar de estar embarrados; todos bien afeitados y los bigotes peinados, escuchaban con unción la misa. En esa ocasión el cura aprovechó para lanzar un sermón en español bastante difícil de seguir y, al terminar, comenzó verdaderamente el domingo. Se saludaban con ese fláccido y frío apretón de manos propio de la gente del campo y charlaban de los problemas comunes: que *cuándo llegaba el material que compré en Oxapampa*, que *la coca ha subido*, que *se me ha muerto una gallina*, etcétera.

Casi todas esas conversaciones se desarrollaban en los dialectos más cerrados de los valles del Tirol. Había gente con rasgos teutónicos puros, otros con la desusada mezcla de indio y alemán. La indumentaria parecía haberse detenido en el ochocientos; faldas largas y amplias, pantalones a rayas, el infaltable sombrero que, a veces, tomaba forma de gorra o simples pañuelos en las cabezas femeninas.

La escena era de lo más dominguera. Estaba el guardia que cortejaba a la moza y parecía que le iba bastante bien pues se paseaban de un lado a otro conversando muy animadamente. La que no lo pasaba tan bien era la acompañante, pues estaba sola, teniéndoles la vela, y comiendo helado... ya que ese día la máquina funcionó, así como la licuadora manual para hacer jugo de frutas a un sol el vaso.

En la escuela, las monjitas que habían llegado de Lima aprovecharon para dar una clase de catecismo. La juventud del valle estaba reunida, las chicas con blusas blancas almidonadas, falda oscura y trenzas de cabellos rubios, parecían sacadas de un almanaque austríaco. En cambio, los hombres daban la impresión de que la selva los estiraba y secaba. Eran verdaderas jirafas, flacos, altos y nervudos. Había uno que era el fiel reflejo de su pipa; de perfil, parecía una de ellas dibujada con plumín.

La partida de Pozuzo

Precisamente cuando le estaba tomando simpatía a Pozuzo, partimos. Nos marchamos con el tiempo justo rumbo a Seso, que fue nuestra primera escala. Bajando por el Huancabamba unos kilómetros, torcimos por un valle transversal rumbo al este, ascendiendo siempre; sudamos *la gota gorda*.

La caminata duró de dos a tres horas, tiempo más que suficiente considerando que estábamos a pleno sol. Casi al llegar me adelanté un poco separándome del grupo hasta alcanzar la primera casa, una de las pocas que había en Seso. Como creía que pasaríamos la noche allí, dejé la mochila y me fui disparado al río donde me bañé tranquilamente, a la espera de la llegada de los otros. Cuando volví a la casa, un poco distante del camino, me encontré con que los demás habían pasado de largo sin detenerse. Como oscurecía y no tenía idea de adónde iban, salí corriendo en su persecución hasta que ya no pude ver más. La selva, por la noche, es oscura como boca de lobo. Me metí en un monte de plátanos de apariencia fantasmal; regresé a tientas por el mismo camino hasta la primera casa donde, obligado, pasé la noche.

Habitaban la destartalada choza una viejita con sus dos hijos, rodeados de cerdos y gallinas. El interior era paupérrimo, con un olor a coca que revolvía el estómago. Iluminada por un candil, tenía un aspecto desolador. No pude comer nada y enseguida me fui a acostar. La cama estaba llena de piojos que no me dejaron dormir, contribuyendo también el aullido de unos perros malcriados que ladraron toda la santa noche.

Muy de madrugada reanudé la marcha en una atmósfera húmeda, nublada y neblinosa que le daba a la jungla un aspecto espectral. Rehice el trayecto del día anterior y un poco más adelante encontré la casa donde el grupo había pasado la noche. Allí estaban, desayunamos juntos y salimos.

La gente de la selva no tiene la más remota idea de las distancias, cosa que en la montaña no pasa; tanto pueden decir que son como 50 kilómetros que como 5; solamente miden por horas. Eso sí, la hora la saben al minuto; le echan una mirada al sol y la calculan con exactitud. Por ejemplo, los domingos es evidente la puntualidad con que llegan a la misa, y eso que vienen de los lugares más remotos del valle.

Algunas familias alemanas tenían hijos físicamente deformes. La razón parecía ser que sesenta familias habían vivido más de un siglo sin otro aporte de sangre que las de sus hijos que se habían casado entre parientes. Luego las cosas habían cambiado con el aporte del indio; de este modo, había familias que se llamaban Echevarría-Egg Mulles, Conchas-Schules y otros apellidos curiosos.

El viaje se hacía francamente caluroso e insoportable. Llovía de a ratos y esto resultaba una bendición, pues era un refresco constante. La foresta se volvía brillosa a las primeras gotas, aunque en el interior de la jungla no cae agua hasta una hora después de haberse iniciado la lluvia. ¡Tal es la espesura!

La otra cara de la selva

La senda penetraba en cuanto callejón aparecía en su camino. A mediodía había perdido envión por la altura: 1.400 metros; de este paso volvió a tomar impulso lanzándonos a la otra vertiente que cambiaba diametralmente del valle de Pozuzo.

Los árboles se tornaron más robustos y todavía más altos; la humedad en esa zona parecía ser mayor y surgía el adorno de largos y espigados helechos. El cantar de los pájaros ya no era el mismo, ya no había naranjos en los huertos...

Resultaba notable que en tan corta distancia todo cambiara tan rápidamente. ¿Dónde había quedado el pintoresco pacay?

La selva me despertaba cierta sensación de claustrofobia. Un día lo noté en particular; probablemente sería por lo larga y extenuante que había sido la jornada. Pero llegó un momento en que quería desesperadamente ver el cielo, el horizonte; ver adónde iba y por dónde andaba. Los árboles parecían echárseme encima, la maraña me oprimía el pecho. Todo me parecía pegajoso, hasta que, por fin, apareció un claro y, con él, el fin de nuestro trayecto.

En el río hicimos la parada obligatoria con la consiguiente zambullida; vimos peces de colores de las más diversas formas. A veces me parecía estar en un gigantesco botánico con sus fuentes cristalinas y sembradas de peces. Al no ver ninguna, me olvidaba de las alimañas que cobraban una existencia irreal. Me decía que sólo aparecían en los libros; sin embargo, tenia la sensación de que en cualquier momento iba a pisar una serpiente enorme.

En una ocasión me enteré cómo fabricaban la chicha morada que tomábamos de continuo. Masticaban el grano de maíz y lo escupían luego, en una gran vasija; allí la dejaban varios días para que fermentara. El gusto era delicioso, mas si uno lo pensaba, no daban ganas de tomarla. Estábamos llegando al primer martes de agosto; la costumbre del lugar afirmaba que si llovía, caería agua durante todo el mes.

Olvido de la ecología

En el arroyo, que estaba lleno de peces, pescaban con red, pero había quienes lo hacían con dinamita o cube, que es el jugo de cierta raíz con el que envenenaban literalmente el agua; demás está decir cómo castigaban el manantial. Nosotros probamos con anzuelos, pero los peces no quisieron saber nada.

En estos valles donde se encontraban familias alemanas y las criollas del país, era notable lo hospitalarias que eran estas últimas, las germanas eran distantes casi hostiles. Sin embargo, después de haber llegado, nos alojamos en lo de

una familia alemana llena de chiquilines y de cerdos; la se-
ñora era enorme y fea, pero amabilísima. Vivían muy sen-
cillamente en una casa de maderas separadas y sin ventanas: un verdadero colador, bien limpia y fresca. Nos contaron que hicieron su vida trabajando, y progresaron en siete años de mucha lucha.

Luego de este agradable alojamiento seguimos viaje en
medio de una lluvia torrencial; gracias a Dios, cuando salimos, a las nueve, ya amainaba y una fina garúa nos penetraba lentamente. Atravesamos plantaciones de bananas y
algunas pocas de café. Al parecer, de ese otro lado de Pozuzo se cultivaba con mucho éxito a causa del excesivo calor.

Las patinadas por el barro se sucedían; incontables res-
balones que terminaban con nosotros aterrizando de cúbito
dorsal en el fango. Ya no teníamos que trepar más, porque
ahora el terreno era llano y por lo tanto estábamos seguros
hasta llegar a destino. La caminata se volvió aburrida y
monótona. De a trechos, la senda se debilitaba perdiéndo-
se en la selva pero un leve titubeo y volvíamos a encontrarla; había otras secundarias que hacían difícil la elección.
Luego de cuatro horas de marcha llegamos a la carretera
hecha por una compañía petrolera para la explotación de
un pozo cercano.

De la sierra a la pampa

Allí, en medio del camino, nos sentamos pacientemente
a esperar que pasara alguien o algo. Por fortuna sólo tuvimos que esperar media hora pues, roncando a pleno motor,
nos recogió un camión de la compañía. Otra media hora a
los tumbos y por fin el río deseado: el Hucayali hecho cinta ancha y verdosa. Tranquilo y deslizante, se lo vio aparecer de pronto, como por arte de magia, descolgándose de
las sierras en las que había nacido. Expulsado de las alturas
se armó de volumen lanzándose en pos de la llanura.

Nosotros también acabábamos de pasar de una zona a
la otra. Dejamos la sierra para ir a la pampa, y todo sufrió

otro súbito cambio: el acento de la gente, el clima, la calidad del ganado... el indio tenía otra estatura y complexión, el río ya no era de sierra.

El camión nos dejó en Chuchuras, pequeño puesto de la compañía. Lo primero que hice fue tirarme de cabeza al agua; había que recuperar una temperatura normal, jabonarse y nacer de nuevo. El agua fresca corría con fuerza. No había terminado de secarme, cuando salimos a escape para tomar la lancha que en ese momento partía hacia el campamento central en Izcosasin; desde allí nos sería más fácil conseguir empalme para Pucalpa.

Peripecias en la navegación

La canoa se completó con otra gente que aprovechaba el viaje y, bien cargada, nos pusimos en la dirección del río. Éste era más rápido de lo que nos imaginábamos; perdía fondo en trechos atestados de rocas, que veíamos pasar muy cerca de la borda. El piloto, viejo conocedor de su oficio, nos llevaba rapidísimo por las partes más bajas, eludiendo los trechos peligrosos.

En las costas se observaban con bastante frecuencia pequeñas estancias o simples chacras con sus canoas hechas de troncos enterizos, largas, finas y bajas de borda, amarradas en el desembarcadero. Los bosques, en las riberas, cobraban una altura desmesurada; de vez en cuando alcanzábamos a ver una gallina del monte, grande como un avestruz, marrón claro con trazos violáceos, con su plumerito rosado a modo de sombrero.

Una hora de navegación encabritada por los pequeños saltos que íbamos subiendo, nos dejó en el aeródromo de la Cerro de Pasco Corporation.

Un rico tesoro de leyendas

En esos parajes conocí, también, la selva desde su otro

aspecto. Quiero decir desde esa faz mística de la leyenda y de la fantasía, esa cara que hace vivir, en todo lugar, episodios brutales, pintorescos, irreales.

Una de las historias se remonta a muchos siglos atrás, cuando habitaban esas tierras los casi desaparecidos indios *Amoencher y Campa* -unos pacíficos y los otros guerreros, malignos y belicosos-; estos últimos, a modo de juego, se paraban de a dos, uno frente a otro, a veinte metros de distancia: sucesivamente se lanzaban flechas apuntadas al corazón y tenían que esquivarlas con la mano.

Una vez desaparecida la especie, el ánima de éstos cobra vida y se transforma bajo el nombre de *Tunche* (fantasma). Generalmente aparecen en las noches claras.

La leyenda dice que si se los toca desaparecen. Conocí gente de esos lugares que aseguraba haberlos visto; comentaban que eran puro pelo y hablaban un idioma desconocido, cosa que aparentemente coincidiría con la antigüedad del dialecto de esos indios. Los tunches aparecían con frecuencia en las conversaciones de sobremesa del campamento.

Otra de esas leyendas se refiere a la *pusanga*; es una planta de hojas diminutas que vive en los bosques altos donde recrudece el frío; su jugo es un elixir y puede servir para el amor o para enloquecer. De olor fuertísimo, las hembras la usan para atraer al macho y viceversa; se impregnan la piel y un solo toque basta para comenzar a obrar. Es cosa sabida que al sacar una hoja de dicha planta, comienza a llover torrencialmente.

Se contaban muchas leyendas que se confundían con la realidad. Existen otras yerbas para cazar como *el piripiri y la colpa*; ésta es un agua sulfurosa por la cual los animales se sienten atraídos, la toman sólo en invierno durante la época de lluvias y les produce efectos tóxicos.

Con la *yubasca* se drogan; les produce visiones y sensación de vivir en un mundo aletargado y difuso. Es, según me dijeron, del tipo del opio.

Animales que abundan en la selva

Las víboras y las serpientes tienen sus propias anécdotas; dan tema para historias dramáticas y espeluznantes; libran sus batallas fulminantes con el hombre y matan sin que la víctima sienta dolor. En esa zona, el monstruo casi prehistórico y legendario se llama *Yucumama* (madre del agua); es una variedad de anaconda que mide de veinte a treinta metros de largo; su grosor es el de un bidón de nafta. Vive en las profundidades de las *cochas*, lagunas que se encuentran en el interior del monte o en los remolinos del río. Nunca sale del agua; sólo saca su cabeza para cazar por hipnotismo a algún descuidado animal; sus ojos, grandes como faros, poseen una atracción poderosa, lo mismo que su cola. Me contaron que habían cazado una hacía años. Tenía más de 300 años y su piel, medio podrida por el agua, estaba cargada de algas y parásitos; opaca y sin lustre, respiraba por medio de branquias. Todos temblaban cuando aparecía y el pantano se estremecía a cada movimiento.

Le sigue en tamaño la *machupa*, serpiente de veneno mortal que persigue al hombre saltando por los arbustos. Mide de dos a cuatro metros y es rápida como un gamo.

En caso de que ataque una serpiente, cualquiera sea la especie, aconsejan no pegarle nunca con el filo del machete, pues la cabeza mordería; sólo debe utilizar el canto o con un simple palo para darle un golpe: se le quiebra la columna y se paraliza al instante. Con todo, el consejo más seguro es salir disparando. La *afaninga*, larga y fina, ataca dando latigazos con su cuerpo, pues no tiene veneno. La *nacanaca*, colorada, blanca y azul, es anfibia y venenosa.

También abundaba la *jergón*, que es una serpiente cuya picadura es indolora pero eficiente; si no se tiene suero antiofídico, se cura con kerosene. Tomar un vasito de este líquido es el remedio más usado en esos lugares contra el veneno.

Los lagartos de esas selvas miden de cuatro a cinco metros, son negros y peligrosos pues golpean con la cola las canoas, dándolas vuelta. Desovan en las quebradas, tapan con tierra y ramas los huevos, forman montículos donde se esconden y luego montan guardia. ¡Huay de acercarse!, porque sus mandíbulas son feroces. También existen las tarántulas, arañas tan grandes como una sopera; habitan en los cultivos donde encerrándose a grandes profundidades hacen sus cuevas. Tanto los pelos como los colmillos son ponzoñosos.

Una curiosidad de la selva es el *loro machaco*, que se enrosca en forma horizontal en las ramas, manteniéndose como un giróscopo en equilibrio. Según nos explicaron, existen muchos otros animales pintorescos que dan vida a esos parajes.

Un brusco final

El viaje terminó repentinamente. No había medios para conseguir bote que nos llevara a Pucalpa. Además todos se sentían con el ánimo poco dispuesto para quince días más de selva; estaban un poco cansados. Con todo, se quedaron dos días más cazando en la cabecera del río y yo, aprovechando la llegada de un DC-3, decidí volver a Lima.

Así, abruptamente, terminó el programa; un poco aturdido por lo fulminante del desenlace, no me resignaba a estar en el aeropuerto, me parecía increíble estar nuevamente en la civilización después de todo ese tiempo en la selva, con todos sus personajes. Tenía la sensación de que una pequeña parte de mí se había quedado para seguir el río, y la otra parte marchaba a Lima.

XII. ACONCAGUA, PARED SUR

Uno de los objetivos más codiciados del mundo

-Fernando, qué buenos bifes has traído-, fue mi comentario mientras éste, concentrado en la ceremonia de prepararlos, encendía cuidadosamente el fuego.

-¿Subirán los japoneses?

-*Non credo*, contestó Uggieri en su italiano bien mezclado con porteño.

Grajales luchaba con algunos huesos duros de cortar mientras los demás descargábamos las pocas cosas que habíamos traído en el jeep desde Mendoza.

La pared sur del Aconcagua era mudo testigo de este diálogo y de toda esta actividad que sucedía en enero de 1965. Se encendieron las brasas e inmediatamente colocamos los bifes sobre la parrilla; pasado un rato, los cuatro, Grajales y yo estábamos en adoración del espectáculo que protagonizaba la carne dorándose lentamente.

Contábamos anécdotas de lo vivido en el viaje e imaginábamos novedades que podrían haber ocurrido en la montaña entre tantas expediciones que en ese momento operaban en el lugar. Los japoneses estaban desde hacía un mes equipando e intentando la ascensión de la pared sur; por su parte, Pellegrini y Aikes trabajaban en la misma pared y ahora esta enorme expedición que yo integraba tenía la misma intención.

Veinte miembros austríacos y alemanes pertenecientes al *Círculo de amigos de la naturaleza* habían organizado en sus respectivos países una expedición conjunta festejando el aniversario de la institución. Fui invitado por Moravec, jefe de la expedición, a participar en ella.

Los objetivos de Moravec eran muchos y variados. La primera parte ya la habíamos realizado; consistió en un período de aclimatación de treinta días, ascendiendo cumbres en un cordón poco transitado hasta entonces por los andinistas.

Cumplimos con este cometido en La Jaula. Una serie de montañas con alturas que oscilaban entre cinco y seis mil metros, y cumbres alguna vez ascendidas y otras no, jalonaron esa maratón en pos de la aclimatación necesaria para intentar, con posibilidades de éxito, el Aconcagua, de 6.954 metros, por su pared sur.

Esta muralla de 3.000 metros de altura, en la pared sur del Aconcagua, sintetizaba una serie de problemas técnicos y de supervivencia y la constituían en uno de los objetivos más codiciados del mundo hasta la década del '50. Representaba una escalada de mucha dificultad a gran altura y soportando condiciones atmosféricas que hasta entonces no se habían explorado. A los franceses les tocó, en su buena época, la fortuna de poder escribir sobre la hazaña que vivieron durante siete días en su ascensión. Esto fue en el año 1954. Si antes la pared Sur era un mito, el regreso de la expedición fue toda una odisea.

Los terribles inconvenientes que tuvieron que enfrentar los franceses, se hacen patentes en las mutilaciones que soportó cada uno de estos escaladores, sin excepción. El congelamiento de las falanges, orejas y pies y sus pérdidas correspondientes, son ejemplos elocuentes de las rigurosas condiciones y cuán difíciles son estas paredes del Aconcagua.

Una tácita prohibición se levantó sobre su escalada. Nadie, y menos yo personalmente, quería arriesgar un solo dedo en ascender el Aconcagua por su Pared Sur. Y así persistió esta veda hasta poco antes de finalizar el año 1965; una vez hecho el Fitz Roy y ascendido varias rutas en Perú, consideré que había desarrollado técnicas suficientes como para elaborar un sistema que nos permitiera ascender esta pared no solamente con éxito, sino, intactos. Es por esto que, a mediados de año, durante una permanencia en Perú, comenzó a atraerme la idea de su escalada.

Una feliz coincidencia

Paralelamente a mis deseos, una expedición comenzaba a tomar cuerpo en los lejanos Alpes. Fritz Moravec, cabeza organizadora del grupo, gestionó a través del CABA una invitación a algún miembro de nuestro club para participar en dicha empresa. En esta oportunidad, sin pensarlo, accedí a colaborar.

Mendoza, con sus grandes monstruos de montañas, no era lo que personalmente me interesaba escalar. Montañas peladas, áridas y sin granito donde poder trepar, hicieron que no me sintiera nunca atraído hacia esa región de los Andes. Pero la pared sur era algo distinto, constituía todo un desafío que necesitaba afrontar para comprobar que mi espíritu podría subsistir en una escalada con tal atmósfera. Recordaba todavía aquella visión que tuvimos cuando, al atravesar la cordillera en dirección a Chile y sobrevolando muy bajo por sobre los picos, en la ventanilla del avión se retrató el Aconcagua. Era todavía muy temprano y la muralla estaba aún en sombras, tan negras como un ataúd. Esa sensación de algo siniestro, poderoso e inhumano fue difícil de olvidar, y ese estado de ánimo permaneció en el subconsciente hasta que floreció la idea de vencerlo.

Pero volvamos a las achuras. Fernando, tras hábiles cortes, las ofrece pues ya están listas. Los italianos son los que más honores les hacen. Uggeri forma parte de un grupo de tres italianos que intentarán el Aconcagua pero por su ruta normal. El conjunto es muy simpático: él es radiólogo en Padova y debido a una lesión en los tejidos le hace bien permanecer en alturas superiores a los cuatro mil metros; esto, junto a su espíritu de montaña hace que a los 52 años cruce el Atlántico con el Aconcagua como objetivo. Bruno había sido seminarista en sus años mozos; es electricista pero con resabios indelebles de su formación clerical. El tercero, Hans, es el guía, prototipo de su oficio: metro noventa de estatura, manos grandes y movimientos fuertes. Su hablar informa que pertenece al valle de Aosta y su

imagen toda muestra que es descendiente de una familia
en la que se heredó de padre a hijos el sacrificado oficio de
guía de montaña. Fernando Grajales, por su parte, es mendocino y autor de varias primeras exploraciones en estas
montañas de las cuales está enamorado. Si bien admiten lo
sufridas que son las montañas de su provincia, ni él ni la
gente del CAM (Club Andino Mendoza) pueden ocultar la
debilidad por sus policromas quebradas, sus impetuosos
ríos y sus poco nevadas cumbres. Luego de las experiencias
en La Jaula la expedición había tenido un *impasse* que aproveché para ir a Mendoza.

Pocos días de buen comer, cines y pequeños placeres
mundanos, habían obrado de maravilla dejándome con
mucho ánimo para emprender el nuevo ciclo que se iniciaba con el Aconcagua. Fernando, muy gentil, se ofreció para traerme junto con los italianos a la Laguna Horcones
que es donde comienzan los treinta kilómetros de aproximación al campamento base.

Gendarmería Nacional: un ejemplo de entrega silenciosa

Gendarmería Nacional estaba en esos momentos pres-
tando una ayuda singular; con quince mulas y varios gendarmes efectuaban repetidos transportes llevando la tonelada de material que veinte expedicionarios consumi-
rían en veinte días.

Burgos Santa Cruz era quien comandaba todos estos
desplazamientos, y aquí dedico unas palabras a unos
hombres a quienes pocos conocen y quizá nada saben de
su valor. Gentes de los más diversos orígenes y profesio-
nes integran el caudal humano que constituye este cuerpo; una vez que ingresan se los adiestra para que se acli-
maten a regiones que nunca hubieran conocido y que
aprenden enseguida a querer; e inmediatamente inician
su apostolado.

Con sueldos miserables y equipo de igual tenor sobre-
llevan con gusto una tarea en que la aventura está mezcla-

da con su existencia. Cuidan una frontera que en algunos sectores es fantasma, pues nadie sabe a ciencia cierta dónde termina lo que es de uno y dónde comienza lo del vecino. Esto es, en resumen, el gendarme, todo a lo largo de las fronteras: un trabajador en la aventura. Entre charla y charla llegó la hora de despedirnos de toda esta gente.

Un padre preocupado

Acomodé la mochila, y un señor que acababa de llegar en un auto se me acercó y con el rostro un poco preocupado, me preguntó si salía para arriba; al contestarle afirmativamente me explicó que su hijo intentaba subir junto con otros compañeros la cumbre por la ruta normal, y ya hacía días que no tenían noticias. Preocupado, se desplazó desde Buenos Aires a indagar sobre el terreno. La casualidad hizo que yo conociera algunos de los nombres de los chicos y traté de tranquilizarlo; aludí a que no había habido tormenta sobre la montaña y que, de haber sucedido algo, las malas noticias llegan pronto y se hubiera enterado.

En ese momento salían las mulas y me uní a ellas. Hubo abrazos y deseos de buena suerte y prometí a ese pobre padre afligido que haría lo humanamente posible para averiguar algo de los chicos. La senda, en sus primeros kilómetros, culebrea sobre la margen izquierda del turbulento y opaco río Horcones y por espacio de algunas horas el paisaje continúa sin alterar su monótona fisonomía.

Unas montañas en ruinas arrojan un acarreo a los valles dibujando un paisaje gris y oscuro; dan la sensación de algo abandonado a mitad de construir. Mi único entretenimiento era seguir a las mulitas que, ajenas al escenario, se ocupaban de proseguir con sus cajones. En un momento la senda cambió el sentido, enfrentando al río; afortunadamente allí existía un vado fácil de superar. Luego continuaba por terreno más firme hasta llegar a Confluencia.

En ese lugar el río se bifurca; un afluente se dirige hacia el glaciar de Horcones inferior, al pie de la pared sur y el otro, al glaciar de Horcones superior, comienzo de la ruta normal, designado también como Plaza de Mulas.

Un grupo de gente se hallaba en esos momentos en el lugar; poco tiempo necesité para darme cuenta de quiénes eran. Unas caras jóvenes y muy alegres hablaban del éxito de la ascensión y, tras las presentaciones, vinieron los detalles de toda la excursión. El hijo del señor que estaba en esos momentos esperando abajo, se hallaba, por supuesto, además de feliz, sano y salvo.

Eran cinco jóvenes y el más grande no superaba los veinte años; habían ascendido la cumbre desde que salieron de Puente del Inca sin utilizar mulas. O sea que habían realizado a pie todos los transportes para instalar el campamento base. Hicieron trescientos kilómetros en cinco días y a cuatro mil metros (nivel del valle); a continuación, sucesivos transportes a los refugios superiores les demandaron otros cinco días, llegando a la cumbre sin interrumpir el ritmo ni desmembrar el grupo. ¡Qué admirables estos muchachos! En ese momento pensé: ojalá perduren ese espíritu y esa unidad. Me despedí de ellos y aceleré el paso para alcanzar las mulas que habían pasado hacía ya rato.

El valle es como una obra en construcción, lleno de escombros que se mezclaban con un negro ventisquero; la sensación era de abandono y suciedad. Recién luego de una curva en el camino, el espectáculo cambió de luces, iluminándose de golpe por toda la pared del sur del Aconcagua.

Seis relucientes glaciares ayudados por un magnífico día refulgieron como en una esplendorosa escalera que lleva al cielo. Las dimensiones son gigantescas: tres mil metros de desnivel sin interrupciones hacen de esa visión algo apocalíptico; en definitiva, un tamaño de montaña poco visto en otras cordilleras. El sendero continúa eludiendo inteligentemente dos destrozos morenescos que ha producido el ventisquero en su original avance y actual retroceso.

El retroceso de los glaciares

Es sabido que todas las cuencas glaciarias del hemisferio sur están, desde hace bastante tiempo, muertas en su desarrollo y por lo tanto, en continuo retroceso. Según unos últimos cálculos se dice que, en caso de persistir este fenómeno doscientos años más, nos quedaremos pisando las piedras donde estaban los glaciares; es algo que a nuestra generación no le preocupa pero se sufre al ver y pensar que todos esos hielos que pugnaron por permanecer ornamentando las pendientes, están definitivamente destinados a desaparecer.

En busca de una ruta

No se advertía el paso de los kilómetros; se sucedían sin notarlo, puesto que la visión del Aconcagua entretenía el espíritu. Lo contemplaba con admiración y estudiaba diferentes posibilidades en su pared. La pared sur de la cumbre sur lucía, desde un primer instante, extremadamente difícil de superar. Sobre todo los primeros mil quinientos metros de desnivel, una continua serie de torreones, paredes y canaletas que anuncian la parte inferior, peligrosa y ausente de estética. Nadie puede pensar que sea placentero escalarla.

La ruta francesa aparecía como más lógica; existía la certeza de no recibir avalanchas en la parte central del anfiteatro. A su derecha un delgado *couloir* ascendía rápidamente ganando el primer gran glaciar que atravesaba la pared. Aparentemente se trataba de un sendero de avalanchas, pero no muy frecuentes; a lo largo de mi marcha de aproximación, venía observándolo y no registré movimiento alguno. Cuando finalmente llegué al campamento base, mi elección estaba tomada: ese *couloir* sería nuestra ruta. Quedaba entonces por decidir la vía de salida en el cuarto superior de la pared; poco visible porque estábamos muy cerca de ella, pero eso no nos preocupaba demasiado pues ya sobre el lugar tendríamos el panorama mucho más claro.

Hans Schönberge: un mutuo entendimiento

Cuando pluralizo en este relato, pienso en Hans Schönberge, compañero mío en cuanta ascensión realizamos en La Jaula. A través de numerosas escaladas habíamos llegado a comprendernos como si hubiéramos ascendido juntos toda la vida.

Hans era carpintero y tenía 32 años. Noble y sano como el elemento con que trabajaba, con un vigor y un espíritu de montaña que resaltaba por encima de todo el grupo. En general reinaba un desierto anímico, producto de lo injertado que fueron todos los miembros participantes de la expedición: cada uno era de secciones diferentes del club y de países distintos. A Hans lo animaban primordialmente las ganas de hacer montaña y le importaba poco qué montaña y por dónde encarar la ascensión.

Su experiencia en grandes escaladas no era mucha hasta el momento, pero un físico superdotado hacía que superara anímica y muscularmente cualquiera de las muchas fatigas de la escalada mendocina.

A Hans le debía muchas de las pocas alegrías que los compañeros de escalada me habían deparado hasta ese momento. Cuando llegué al campamento todavía no estaba armado; un desorden de cajones y papeles reinaba en el lugar. De por sí el terreno que lo rodeaba no era muy propicio para hacer de su base un lugar confortable: metido dentro de un hoyo entre escombros del glaciar, apenas si tenía agua. Una raquítica y sucia vertiente proveía del líquido que había que ir a buscar con tachos y bidones.

Un pequeño laguito con agua de deshielo había sido inutilizado por los continuos desperdicios que las demás expediciones habían ido tirando dentro del agua. Sin respetar el horario en que la expedición comía, me preparé una sopa para calmar el hambre. Hans se acercó e intercambiamos las ideas que teníamos sobre la pared. Ambos coincidíamos sobre la manera en que la haríamos.

El único material de escalada que teníamos eran una soga, cuatro piquetas y tres clavos de hielo, además de una carpa de nailon especialmente diseñada para esta oportunidad, pues su peso era sólo de novecientos gramos y se armaba colgándola simplemente de la pared. Las entradas en ambos extremos facilitaban el ingreso; cuando estaba cerrada, conservaba bastante bien el calor que generaban nuestros cuerpos y el calentador a gas que siempre llevaba a todas las montañas.

Sólo diferíamos en los días que habríamos de emplear; por mi parte consideraba que en tres jornadas podríamos alcanzar la cumbre, pero Hans opinaba que en cinco. Por lo tanto decidimos llevar comida para cuatro días. Preparamos todo para salir al día siguiente.

Atenciones del Extremo Oriente

Visitamos la expedición japonesa que trabajaba en el espolón central desde hacía semanas. La mayoría estaba en esos momentos en campamentos superiores por lo que sólo encontramos al solitario Hashimura; inmediatamente nos ofreció té y conversación por el resto del atardecer.

En esa carpa, con el exterior anochecido, experimenté algo así como un diálogo con las montañas de todos los continentes. Hashimura con sus anécdotas y calma entonación de voz hacía que reconociera un sentimiento tan fuerte como la montaña misma; Hans, con sus monosílabos en alemán mechaba la velada con aires del Tirol natal y nos hizo viajar con la mente a un escenario distinto del que se desarrollaba en nuestra carpa.

La noche había envuelto la montaña, dejándola invadida con un acerado frío. El espectáculo se cargaba de una inquietud trágica, la mismísima personalidad del Aconcagua.

Siniestra historia del Aconcagua

Ese día había visto por primera vez su cumbre, y en las pocas horas que la observé asimilé el espíritu de su historia. Innumerables muertes jalonaron sus ascensos, algunas de ellas cubiertas de misterios, para los que la imaginación elabora desenlaces fantásticos. Es una montaña que indudablemente transmite algo único: historias vividas por muchos hombres, tradiciones, fábulas, anécdotas que hacen aparecer al cerro como un monstruo prehistórico aún viviente.

Su cumbre atrajo siempre a personajes con algún rasgo excéntrico: un señor de edad avanzada llegó a su cumbre con una mesa: una vez parado sobre ella, quería ser el hombre más alto de América. Otro lo imita, pero llevando consigo cervezas para inaugurar el bar más alto del mundo. Hasta un guanaco tocó la cima, quizás con ansias de conquistar algún galardón desconocido en su especie.

Además de estas locuras, muchos episodios tristes enlutaron este pico. La muerte de Link, su compañera y un camarada, en circunstancias nunca bien aclaradas, abren una sucesión de muertes que no viene al caso enumerar aquí.

Por ser la más alta de América, la atracción que ejerce la cumbre congrega espíritus con las más diversas aspiraciones. Pero permanece indeleble en la montaña el recuerdo de los que allí dejaron su vida; y esto se trasunta en sus piedras y glaciares. Y de noche, en esa noche, y con el frío, no podía apartar toda esa vida interna que a fuerza de aludes, latía en la montaña.

Reunión del pleno para decidir la ruta

Al regresar, tuvimos una junta con nuestra expedición; un consejo de guerra reunía a todos los miembros del grupo para planificar los pasos a seguir.

La pared sur de la cumbre quedaba descartada de plano, algo que todo el mundo esperaba; después se puso en el tapete nuestra idea de ascender al *couloir* que habíamos elegido para inaugurar una nueva ruta, y allí comenzaron los problemas. Moravec opinó que habríamos de poner campamentos intermedios y que el *couloir* era demasiado peligroso; sugería ascender por otra vía completamente a la derecha de toda la pared.

El resto de la expedición, menos Hans, apoyaba su punto de vista. Por mi parte estaba convencido de que nuestro sistema nos llevaría al éxito y así lo hice saber en mi elemental idioma, más confuso que nunca por la furia del momento.

Nadie nos apoyaba ni querían apoyarnos; abandoné la reunión dejando a Hans que hiciera las paces. Esa noche dormimos poco; cuando sentía algún alud en la montaña me asomaba fuera de la carpa escrutando la pared para descubrir si alguna avalancha cruzaba nuestro *couloir*; sólo a las tres de la mañana descendió una por esa vía. Afortunadamente había reunido el material necesario para la ascensión antes de la violenta discusión; de haber sido de otra manera creo que no habríamos partido pues nos habían prohibido la ascensión.

La cordada definitiva

Con las primeras claridades nos pusimos en movimiento; un ovomaltine al arrullo del calentador nos despidió del campamento base.

Los altercados y discusiones habían hecho cambiar la atmósfera psicológica de la escalada que habíamos de emprender: ya no se trataba de superar la pared sur sino de demostrar que teníamos razón.

Esto hizo que en los primeros momentos nos desconcentráramos; de este modo se atemperaba la excitación propia de una empresa como la que estábamos comenzando. Así, con ese estado de ánimo, nos elevamos sobre los primeros acarreos de la pared. Los metros inferiores nos aburrían soberanamente; nada nos distraía hasta que comenzamos a encontrar desparramados por doquier, restos de un antiguo campamento arrastrado indudablemente por una avalancha. Latas de conserva, restos de carpas, y más allá un pulóver que Hans metió en su mochila.

El frío y el temor de congelarnos hizo que trajésemos cada uno siete pares de guantes de los más diversos tipos; de esta manera, a medida que se fueran humedeciendo, los iríamos tirando

Ropa interior de lana, un chaleco de *duvet* y un saco del mismo material eran nuestras defensas para la baja temperatura que encontraríamos en niveles superiores. Mientras tanto, en el acarreo, a medida que avanzaba la mañana, el sol calentaba cada vez más. Hacía treinta días que no llegaba a ocultarse en ningún momento detrás de una nube de tormenta y esperábamos que mantuviera igual tenor por el resto de la semana.

Una vez ganada la altura adecuada atravesamos a nuestra izquierda, para enfrentar en el primer día la parte peligrosa de la escalada: el tan famoso *couloir*. Antes de penetrar en esta garganta ajustamos bien los grampones y lo estudiamos con detenimiento. En su mitad, una curva ofrecía una relativa protección y varios pequeños afluentes hacían que, en caso de caída, pudiéramos proteger nuestra salida hacia uno de los costados. Evitamos encordarnos para no perder rapidez y movilizarnos con más comodidad. Luego respiramos profundamente unos minutos antes de comenzar a ascender.

A las once de la mañana las paredes del *couloir* vieron pasar dos escaladores (nosotros) a paso de granadero, refugiándose -en cuanto pudieron- detrás del contrafuerte, para allí darse resuello y comenzar su rápido ascenso hasta otro refugio un poco más arriba. La aclimatación que habíamos logrado hasta ese momento nos favorecía enormemente para estas extenuantes corridas en doce puntas y a cinco mil metros, altura del *couloir*.

En su parte más estrecha el *couloir* se endurecía más, por el aumento de la pendiente; no obstante evitamos tener que tallar escalones y utilizamos a modo de chimenea, el espacio que lo separaba de la roca. Con una piqueta en cada mano, superamos los metros restantes; después del mediodía pasamos a terreno seguro, esto es, apartado de la trayectoria de avalanchas.

El gigantesco frente del glaciar superior nos intimidaba con su aspecto: un corte de noventa metros de altura formando torres en posiciones peligrosas. Inclinadas sobre el abismo observaban, afortunadamente inmóviles, el epílogo de nuestra pequeña historia en el *couloir*. Apenas pudimos nos sacamos las mochilas y descansamos como es debido.

Los diversos empleos del mate

De un bolsillo extraje un objeto no precisamente apropiado para el lugar en que estábamos. Siempre pensé que nos sería muy útil un cañito para absorber el agua que en forma de pequeños chorrillos se desliza entre las piedras. Y, ¿no les parece que lo más apropiado es un buena bombilla matera? Hans miraba el artefacto sin comprender. Sin conocer su utilidad, no imaginaba para qué podía servir: se lo demostré sorbiendo el agua que corría sobre el hielo. Fascinado con el invento, *se cebó* unos mates de agua de deshielo.

El líquido: un elemento indispensable

El líquido que tomábamos era tan importante como el abrigo que llevábamos. Una de las imprevisiones que cometieron los franceses fue el no tomar agua; se les había congelado el alcohol que llevaban para derretir nieve durante los tres últimos días de su permanencia en la pared.

El organismo, al no recibir líquido, espesa la sangre *ralentando* la circulación y con esto, la irrigación de los tejidos. Si a esto se le agregan unos grados bajo cero sobreviene la congelación de las extremidades, como sucedió a los escaladores de Francia. Con esta experiencia, nos saturamos de agua en cuanto la presencia de los naturales hilitos lo permitieron. Una vez repuestos, afrontamos el corte que interrumpía nuestro acceso al glaciar inferior. Se nos ofrecían dos posibilidades: la primera era remontar hasta bien arriba el *couloir*, y allí ascender unos bloques no muy difíciles, hasta encaramarnos en la planicie del glaciar. La otra estaba a nuestra izquierda: una pared de hielo absolutamente vertical -sesenta metros-, pero con la gran ventaja de estar protegida de las avalanchas.

Esto último nos decidió pues no queríamos tentar por más tiempo la buena suerte que habíamos tenido hasta el momento.

Sin la mochila, que dejé antes de comenzar, me elevé a fuerza de los tres clavos de hielo sobre los primeros metros de esta dura pared. El hielo, oscuro en esta sección, era extremadamente sólido; impedía la entrada fácil de los clavos en él. Sólo quedaba como alternativa tallar escalones, pero hasta eso era difícil. Un seco sonido de madera respondió al maltrato de la piqueta, mientras la cruz desaparecía en el abismo. Sólo me quedaba en la mano, mirándome con sorna, un conjunto de astillas que fueron, otrora, sólida herramienta. Hans fue por la soga y me alcanzó una piqueta suya para que continuara el trabajito. Al llegar a un rellano, me anclé lo mejor que pude para izar la mochila; luego aseguré a Hans para el siguiente largo.

La exposición era considerable, el poco ruido que hizo la piqueta al romperse indicó una caída casi en libre por unos cientos de metros, suficientes para no repetir el ejemplo. Una vez que Hans se reunió en el relevo, prosiguió con la parte final de este difícil corte; el hielo, por estar más cerca del borde, mejoró su calidad haciendo menos difícil pero igual de riesgosa la resolución de la escalada.

A las cinco de la tarde estábamos sobre lo que creímos era la parte fácil del glaciar, pero nos encontramos con una superficie acribillada de penitentes.

El fenómeno de los penitentes

Los penitentes son estalagmitas de hielo, resultado de un proceso físico que todavía no está muy claro. Se cree que, al ser tan puro el sólido cristal del hielo, los rayos de sol producen una evaporación instantánea pasando por alto la etapa de licuación. Basta que haya un granito de roca sobre la nieve para que el sol trabaje la superficie que lo rodea, fabricando, con el correr del tiempo, las torrecillas llamadas penitentes. Este fenómeno se da en pocas montañas del mundo: en Perú, en una pequeña sección del glaciar del Huayghuash, observé penitentes de unos diez centímetros de alto, pero los mendocinos son excepcionalmente desarrollados y prolíficos.

En La Jaula, por ejemplo, para avanzar cien metros, empleamos una hora, y se dio el hecho de que tardamos lo mismo en subir que en bajar. Algo que nos ayudó en cierta manera a caminar entre los penitentes fueron los bastones de esquí. En esta ocasión, en la pared sur, los habíamos traído; por eso suplantamos las piquetas por los bastones y atropellamos los primeros penitentes de este gran glaciar. Al promediar la tarde habíamos avanzado muy poco. En un momento, sentimos unos gritos provenientes del espolón central. Aunque no vimos a nadie, adivinamos que alguien de la expedición japonesa debía estar subiendo por las Torres Grises. Su carpa estaba a nuestra altura, pero distante todavía unos mil metros de nosotros; era tentador dirigir nuestros pasos hacia el campamento, ubicado en una amplia plataforma, pero aparté enseguida la idea.

Mi intención era llegar lo más cerca posible del salto de roca que une el glaciar superior con el inferior, donde estábamos en ese momento. En lenta progresión debido a la lucha contra los penitentes, ganamos altura alejándonos del campamento japonés.

Cuando llegamos al lomo ascendente hacia la roca, conectamos con la huella trazada por ellos en su marcha de equipamiento hacia el salto. Ninguna clase de orgullo im-

pidió que aprovecháramos este sendero que facilitaba los
trámites hasta llegar a una disminución de la pendiente,
donde nos detuvimos para preparar el vivac. Por las montañas que nos rodeaban calculamos que habíamos ascendido unos mil metros de desnivel; estábamos, entonces, a
cinco mil metros sobre el nivel del mar.

Un vivac a cinco mil metros

Con pisadas fuertes, aplanamos una pequeña plataforma sobre la nieve, donde pusimos la carpa; con los bastones de esquí improvisamos unos parantes para sostenerla,
y enseguida encendimos el calentador para derretir nieve.

Al observar hacia el valle, tuvimos la sensación de estar
ante un paisaje lunar; el árido glaciar daba a la montaña
una apariencia tan desértica que, junto con los acarreos grises, completaban la imagen viva de lo estéril.

Hacia arriba, la pared de roca que tendríamos que escalar al día siguiente nos interrumpía la visión. A los costados el escenario no variaba demasiado. Paredes peladas de
nieve nos decían que estábamos todavía en la parte *tropical*
de la ascensión; en la sección superior se adivinaban condiciones severas a juzgar por las cascadas siempre congeladas y por las estrías nevadas que arañaban las rocas.

Cuando llegaron las estrellas estábamos confortable-
mente instalados dentro del reducido espacio de la tienda.
Bebimos una sopa acompañada con polvo de galletitas, algo de dulce y nada más. El hambre en estas alturas desa-
parece casi por completo; lo que ingerimos lo hacemos casi a la fuerza para reponer las imprescindibles energías. Intuyo que la causa es la puna.

¿Por qué ataca la puna?

La puna es una enfermedad que ataca al andinista por
motivos diferentes. Los físicos la explican echándole las

culpas a la acción de los rayos del sol sobre las partículas de oxígeno.

Personalmente, en experiencias anteriores (La Jaula y las altas mesetas de Jujuy) experimenté la puna no a determinadas altitudes sino en ciertos sitios de la montaña.

Por ejemplo, si iba caminando sobre nieve, sintiendo solamente los efectos de la altura, al poner los pies sobre terreno rocoso comenzaba a experimentar ciertos malestares. También me ocurrió que al transitar muy cerca de una grieta que por su tamaño imaginamos que debía tener fondo rocoso, sobrevinieron los mismos síntomas. Igualmente son conocidos determinados bolsones de puna en la superficie de un valle que no necesariamente es muy alto. Por mi parte creo que debemos buscar las causas en las emanaciones provenientes del suelo y calidad de los minerales. Contra la puna no existe aclimatación posible. En los casos agudos produce vómitos, pérdida de conocimiento, ausencia de reflejos y, por supuesto, la falta de buen humor.

Hans y la música

Enfundados en las bolsas de dormir, el sueño no tardó en llegar; en el exterior, el silencio se apoderaba de la montaña deteniendo la vida que durante el día se exteriorizaba en aludes y deslizamientos. Hans empezó a contarme sobre su vida en el Tirol, sus escaladas en el Káiser, algunas de las cuales coincidían con las que yo había realizado; su Salzburgo y sus festivales. Descubrí en él una inquietud musical muy depurada y no sé cómo repetir lo sorprendido que quedó cuando escuchó por primera vez nuestra Misa Criolla. Nunca hubiera creído que en folklore se pudieran componer piezas de tan exquisita armonía. Por un momento el Aconcagua estuvo ausente de nuestros espíritus; luego, el sueño...

En la mañana del día siguiente se anunciaba tiempo inestable y unas aborregadas nubes se apoderaron de los filos orientales hacia el oeste: el Pacífico nos enviaba sus tormentas. En el momento de salir, una plomiza cúpula cubría la montaña. Con todo, no teníamos motivos para inquietarnos pues la atmósfera estaba en calma y podíamos proseguir sin mayores dificultades. Una vez que ordenamos el material dentro de las mochilas, retomamos la senda ascendiendo en pocos minutos hasta dar con la roca del salto. A la izquierda se evidenciaban unas canaletas que rompían un poco lo compacto de la pared. Una vez encordado, Hans inició el primer largo. Las características de esta roca, considerando que estábamos en Mendoza, eran bastante buenas. Un conglomerado firme permitía trepar con seguridad, si bien no ofrecía fisuras donde plantar clavos. Al no disponer de éstos, tuvimos que reducir un poco la longitud de los largos, aprovechando en cuanto pudimos las plataformas naturales; disminuíamos así el peligro que ocasionaría una posible caída.

Una elección poco feliz

Escalamos muy tranquilos hasta que dimos con un resalto particularmente vertical; por precaución me deshice de la mochila antes de intentar el paso. Avancé sobre los primeros metros que resultaban bastante fáciles, pero luego la salida se complicó por estar extraplomada; era sólo un metro, pero suficiente para demorar un buen rato en resolverla.

Hans se impacientaba pero yo no podía hacer otra cosa que tomarme mi tiempo; no habiendo ningún clavo de seguridad era arriesgado acelerar el trámite. Los zapatos dobles que usaba hacían perder bastante la sensibilidad sobre las tomas pequeñas, cumpliendo un poco la escalada en libre. En el tercer intento logré elevarme sobre la plataforma. Subí la mochila y luego aseguré a Hans que venía bufando maldiciones, por el camino que yo había elegido. Posiblemente habría una ruta más accesible que ésta a nuestra derecha y, en efecto, cuando estuvimos arriba la descubrimos nítidamente. Luego de este largo particularmente complicado, la dificultad disminuyó manteniéndose constante hasta tropezar con los metros finales del salto, recubierto de hielo, con el consiguiente aumento de inconvenientes en la roca.

Calzamos entonces los grampones y resolvimos antes del mediodía nuestra sección. Una vez arriba, acordamos detener totalmente las acciones; la mañana había sido intensa en emociones y lo rápido de nuestro avance nos tranquilizaba; pensábamos que llegaríamos a tiempo al emplazamiento de nuestro segundo vivac (6.000 metros). Puse en funcionamiento el calentador e hice rápidamente un té de *circunstancias*. Mientras tanto, Hans garabateaba unas notas en su libro de bitácora.

La avalancha: un espectáculo dantesco

En cierto momento, un ruido ensordecedor atrajo nuestra atención. A nuestra altura y distante 500 metros, todo el frente del glaciar superior se desprendió precipitándose al vacío; golpeó en el *plateau* inferior levantando una nube de nieve y se encarriló finalmente por el *couloir* por el cual habíamos ascendido la mañana anterior. Hans se sobrepuso al espectáculo y tomó varias fotografías a medida que la inmensa masa caía inundando el valle. Serían las fotografías de su vida. Un corto comentario cruzó nuestras miradas: ¡Qué suerte no estar ahí abajo!

Inmediatamente, como si la avalancha hubiera roto un equilibrio que mantenía la atmósfera, la llegada de una ráfaga de viento nos despertó del sopor en que habíamos quedado, impulsándonos a ponernos en movimiento en el acto.

Reembolsamos todo y haciendo una larga travesía hacia la derecha, comenzamos a escalar por un derrumbe que el frente del glaciar había facilitado para encaramarnos en la superficie. Unos pocos escalones monopolizaban, por unos momentos, la atención de la escalada. Sobre todo me preocupaba el tiempo, que había desmejorado a pasos agigantados.

Los valles se taparon con una niebla que ascendía rápidamente buscando los filos; caía una nieve muy tupida, haciendo imposible la visibilidad a más de un metro delante de nosotros. Por suerte, el hecho de que nevara imposibilitaba, en parte, la llegada del viento.

Recordaba en esos momentos una foto aérea del Aconcagua, en que aparecían nítidamente las rimayas y las grandes grietas que cruzaban el glaciar. Guiándome por esa imagen orientaba la marcha hacia donde pensaba que comenzaría la escalada del día siguiente, es decir, no lejos de la partida del espolón francés y del *couloir* que descendía del col entre las dos cumbres.

Con los *cagoules* puestos y bien protegidos, avanzamos penosamente por nieve honda y por entre continuos agujeros que adivinábamos sobre el glaciar. Luego de muchas horas de este trabajo, una planicie nos indicó que estábamos cerca de donde los últimos mil metros del Aconcagua se erigen nuevamente en pared. Momento entonces de armar el vivac.

El segundo vivac de la pared sur

Era todavía temprano, y la calma que precede al atardecer hacía que lo instalásemos demorándonos en comentarios acerca de la ruta que tomaríamos al día siguiente para salir de la pared. Las nubes se desgarraban mostrando por instantes el resto de la montaña: al observar el panorama, me inclinaba a elegir la ruta que se dirige al col entre ambas cumbres. Se trataría de una variante nueva y conservaría mejor el diseño de la ruta que hasta entonces veníamos realizando. Sólo una pequeña sección en su rimaya inicial podía presentar unos tramos aparentemente difíciles, pero una vez traspuestos, la pendiente disminuye conservándose pareja y sin tropiezos hasta el mismo filo cumbrero.

A Hans no lo entusiasmaban mucho estos planes; era de la opinión de ascender por la izquierda del espolón francés, allí donde un *couloir* lleva bien arriba ganando altura sobre las rocas de este filo. Evidentemente esto era posible y quizás más corto que mi proyecto, con lo que di mi brazo a torcer sacrificando mi estética por la ruta.

El clima de escalada allí arriba resultaba sensacional, las rocas inmóviles por la baja temperatura se cubrían de una fina pátina de humedad congelada y esto le daba al conjunto un aspecto gélido y siniestro. El ambiente para la escalada era decididamente espectacular. Hans estaba un poco sobrecogido por esta atmósfera, lo notaba en sus observaciones sobre lo que tendríamos que hacer al día siguiente. A toda costa quería salir de esta pared; por eso había elegido el camino más conocido, no aquel otro donde podríamos crear una nueva ruta. Esta sección de la pared se asemejaba mucho a los bordes del gigantesco cráter de algún volcán extinguido: totalmente en semicírculo podría muy bien haber formado parte de los innumerables que se adivinan en los cordones montañosos de la vereda de enfrente.

La carpita presta un servicio más

Extendimos la infatigable carpita, introduciéndonos en ella. Antes de mantenernos dentro de las bolsas nos masajeamos unos minutos los pies. El haber caminado tanto tiempo sobre la nieve los había humedecido, no obstante las polainas y numerosos pares de medias. Ni Hans ni yo teníamos ganas de comer, sólo beber, beber y beber. La llamita azul del calentador permaneció encendida hasta muy tarde en la noche. Entonces notábamos que el agua hervía a menos grados que a niveles inferiores y la llama no tenía el vigor que tenía antes. Todo esto era síntoma del enrarecimiento del aire por la falta de oxígeno y eso lo sentíamos en el batir de las sienes, luego de efectuar algún esfuerzo.

Teníamos los labios completamente deshidratados, formando un cuero que resistía obstinadamente los ataques de las cremas que no dejábamos de ponernos. Exceptuando esto, estábamos en condiciones excelentes, si considera-

mos la altura y las circunstancias. Dormir, dormimos poco
pues cada tanto nos sofocábamos, entonces abríamos los
cierres y aspirábamos aire fuera de la carpa. No obstante,
por el abrigo de las bolsas, descansábamos algo. En la madrugada del día siguiente el tiempo se mantuvo sereno y
despejado; un frío atenazador mordía cualquier parte expuesta que dejábamos sin abrigo. Por lo tanto comenzamos a usar permanentemente los guantes, manteniéndo-
los, siempre que podíamos, alejados de la nieve.

Atravesamos un sólido puente sobre la última grieta
que a modo de defensa nos imponía la pared; todavía empleamos una hora larga en llegar. La nieve caída durante
la tormenta del día anterior se acumuló, ralentizando
nuestro avance.

Proximidad del filo somital

A medida que nos acercábamos, íbamos individuali-
zando el puente sobre la rimaya crucial. Estudiando el *couloir* coincidimos en que la dificultad no sería mucha; una
pendiente no muy fuerte nos depositaría unos doscientos
metros debajo del filo somital. La posibilidad de salir en el
día me llenaba de optimismo y entusiasmo. Un pasaje agotador nos esperaba en la rimaya; ambos labios de la grieta
estaban tan nevados, que la nieve no resistía las piquetas
que infructuosamente habíamos hundido. Sólo después de
un trabajo de topos, excavando una escalera, conseguimos
vencerla: era allí donde el sol aparecía sobre el filo. Alter-
namos en la delantera encordándonos en doble, así lograríamos reducir los largos a veinte metros, medida mucho
más descansada, que los cuarenta que veníamos usando.

La altura se hacía sentir sin piedad e implacablemente
agotaba nuestros pulmones. Luego de acabar cada largo, los
relevos eran esperados con viva ansiedad, contándolos y
calculando cuántos más necesitaríamos para finalizar con el
couloir. La nieve por suerte era de una consistencia apropia-
da para clavar las doce puntas sin mayores esfuerzos. Sólo

dos veces una sección de hielo vivo requirió el tallado de escalones. A las tres de la tarde estábamos sobre las rocas. Las nubes nos envolvieron una vez más pero aún no había comenzado a nevar.

Nos permitimos un respiro, mientras dejábamos que unos caramelos se nos deshicieran en la boca. Un monolito particularmente compacto anunciaba un primer largo fatigoso; lo estudié hasta en su menor detalle antes de moverme. Una fisura a la izquierda permitiría la introducción de una mano mientras la otra buscaría apoyo en el exterior; no sería muy simple, pero la otra posibilidad a mi derecha era una laja. Si bien aparecía como más fácil, era demasiado extensa para hacerla en libre y sin clavo de seguro. A las cuatro me encaramé sobre los primeros bloques enfrentando la fisura; primero intenté tratando de llevar conmigo la mochila, pero las paredes lisas de la fisura hacían resbalar mis suelas.

La gran exigencia de los últimos esfuerzos

Trabé la mochila en su base e insistí en el intento. Sentía estallar los pulmones con el esfuerzo, la garganta estaba inflamada y sensible al frío que respiraba; los dedos comenzaban a aterirse perdiendo sensibilidad y finalmente logré trabar el zapato. Pude así agarrarme del borde del monolito y restablecerme en un tope. Llamé a Hans. Al llegar la mochila, la ató al extremo de la doble cuerda y me avisó que la alzara; una vez hecho esto, lo aseguré hasta mi relevo.

El segundo largo, que se presentaba no menos difícil que el anterior, le tocaba a él. Piedras nevadas hacían peligrar el equilibrio, y cualquier dificultad que a nivel del mar sería superable, aquí se aumentaba cuatro veces, debido a la altura y al frío que soportábamos. Con movimientos precisos y seguros escalaba pausadamente el largo. Al verlo trepar, no imaginé lo difícil que era el terreno donde estaba transitando; sólo lo comprendí cuando me tocó el turno. ¡¡¡Bravo Hans!!! ¡¡¡Así se hace!!!

El escenario era apocalíptico, las espesas nubes oscure-
cían la montaña, y las distancias y tamaños perdían perspectiva haciéndonos dudar siempre el camino a tomar. In-
tuimos que la salida no debía estar lejos y eso fue lo que
nos mantuvo en movimiento hasta cuando la oscuridad se
hizo completa.

Un escalón providencial

Cuando ya no pudimos avanzar más, apareció, detrás
de un bloque, un escalón en la nieve, ideal para detenernos. Lo ampliamos un poco, pusimos todas nuestras energías y cada palada nos costó un triunfo. Cuando terminamos de colgar la carpa, comenzó a nevar, pero tuvimos el
tiempo justo para cobijarnos bajo su techo. La tormenta se
apoderó de la montaña batiendo sobre nuestro nailon continuas ráfagas portadoras de nieve. Repetimos la misma
operación: hacer agua, tomar té, masticar algún sólido, cosas que nos ocuparon antes de tratar, inútilmente, de conciliar el sueño.

Esa noche, no sé si por efectos de la altura o por qué extraño fenómeno, desarrollé visiones en las que un negro
me servía jugos de fruta de todas clases mientras me co-
mentaba que a sesenta metros sobre el filo que llevaba a la
cumbre, se hallaba, en el lugar, un refugio con gente bailando. Tuve muchos otros sueños por el estilo. Cuando se
iban estas visiones la cruda realidad tomaba su sitio. Luego de sucesivos vivacs las bolsas de dormir se habían ido
humedeciendo, y abrigaban menos que en noches anteriores; los pies, totalmente húmedos, perdían calor y constantemente teníamos que masajearlos para evitar que se para-
lizara la circulación. Para colmo, la única cacerola que teníamos, por ser de aluminio, había ido tomando un gusto
imposible de aguantar, aunque lo aguantábamos igual. El
agua que calentábamos en ella transmitía un sabor indefinido de óxido mezclado con todas las sopas y distintos bre-
bajes que no se pudieron limpiar muy prolijamente.

Un día de completa inmovilidad

Cuando sospechamos que ya era de día, la tormenta todavía continuaba. Un viento huracanado imposibilitaba cualquier intención de movilizarnos. Ante el mal tiempo pusimos buena cara y proseguimos dormitando por el resto de la jornada. Sabíamos que a sólo sesenta metros estaba el filo, por lo tanto, si se mantenía mucho esa situación, podríamos forzar los elementos y proseguir hacia la cumbre. Pero teniendo todavía combustible y comida para otra jornada, vimos con buenos ojos ese día de inmovilidad completa. Fatigados como estábamos, luego de tres días de continuo escalar, pudimos conciliar un sueño del que despertamos sólo al día siguiente. Era el quinto en la pared.

El tiempo mejoró: el viento había disminuido considerablemente, el cielo estaba semidespejado y nos daba intervalos de sol; por lo tanto, aprovechamos para partir. Abandonamos en el lugar todo lo que no utilizaríamos en el resto de la ascensión. Endurecidos por la posición de la cual no nos habíamos movido en treinta horas, tratamos de poner un poco de orden en los huesos para comenzar decentemente la escalada.

El frío es peligroso; en caso de abandonar la atención sobre las manos que continuamente manteníamos en movimiento, sucumbiríamos en término de minutos a la congelación. Repusimos los guantes mojados por otros secos y, sobre ellos, agregamos un cubreguante de nailon impermeable para defender el conjunto del viento que soplaba en esos momentos. Moverse a esa altura era un martirio, y escalar era casi insostenible. Estos últimos metros sobre la pared quedarían grabados en forma indeleble en mi memoria.

Un abismo sin dimensiones aparecía debajo cuando las nubes, de a ratos, limpiaban; el esfuerzo agotador hacía que no terminaran nunca los pocos metros que nos faltaban. La luz característica de esas alturas penetraba en los objetos que iluminaba. La pendiente, que se precipitaba en el vacío que recorría los tres mil metros de pared, era un paisaje espectacularmente hermoso.

Luego aseguré los veinte metros a Hans, que se me acercaba con cadencia imperceptible: un paso y respiraba, otro paso y así en forma sucesiva, finalizaba ese largo. El siguiente le correspondía y aproveché para tomar algunas fotos y dar un respiro al cansancio del cual tardaba en recuperarme.

Los últimos pasos parecieron durar años

Extremamos los cuidados dada la exposición en que estábamos; no sé cuánto tardamos, pero me pareció que alcanzar el filo nos llevó años.

Cuando ¡por fin! llegamos, no lo podíamos creer. Las dificultades habían terminado, sintiéndonos en terreno seguro. Sólo teníamos que sobreponernos a la fatiga y caminar por el inmenso lomo que nos llevaría hasta la cumbre. A cada paso respirábamos dos veces; así conseguimos imponernos un ritmo que mantuvimos por reflejo hasta llegar a la cima.

Todo lo exultante que fue la escalada de la pared, resultó deprimente al llegar a la cumbre. Un montón de hierros oxidados, restos quizás de alguna cruz o mástil, llenos de alambres que, retorcidos, señalaban en todas las direcciones como buscando al culpable de estos estropicios. Cantidad de papeles y residuos hacían de la cumbre un lugar decepcionante, máxime llegando luego de haber ascendido una pared como la sur, donde día a día se ha estado luchando duramente contra los elementos. ¡¡¡Y en la cima nos esperaba un baldío!!!

Me pareció que habíamos llegado a eso de las tres de la tarde. El espectáculo era bueno pero no cautivador, como correspondería a la cumbre más alta de América. Una monotonía de montañas se extiende en las cuatro direcciones. Cerros pelados y, excepcionalmente, uno que otro nevado, allá lejos, perdidos en el horizonte de San Juan.

Debajo de unas piedras encontramos un libro en el que anotamos nuestra ascensión; las hojas bastante maltratadas por la intemperie traslucían los diferentes estados de ánimo de los variados ascensionistas que llegaron hasta allí. No nos detuvimos a buscar la primera escalada de los maltratados franceses que, en 1952, hicieron la primera escalada por la pared sur; pero sí sabíamos que la nuestra era la primera escalada al Aconcagua pared sur, en estilo alpino, por una ruta nueva.

Abandonamos los grampones y piquetas pues queríamos tener el menor peso posible para bajar, y esos pocos gramos nos parecían un montón de carga. Luego de una hora en el lugar, descendimos buscando la senda de mulas que nos llevaría por la ruta normal.

Las ansias de oxígeno

Teníamos ansias de oxígeno; como el buceador que sube a la superficie, necesitábamos bajar lo más rápido posible para respirar el precioso elemento. Estábamos exhaustos, cada cien metros nos derrumbábamos sobre una piedra para descansar; a las 9 de la noche encontramos el pequeño refugio Plantamura. Tenía una ventana rota, el interior estaba lleno de nieve y hacía más frío adentro que afuera. No obstante, por el viento, nos refugiamos en el interior. El piso de madera era durísimo para dormir. Además, recordando excitados todo lo vivido, nos era imposible concentrarnos para descansar.

Ambos conservábamos la esperanza de encontrar a alguien en los refugios bajos; de no ser así, la situación sería dura pues en el estado en que nos encontrábamos y sin comida, no podíamos llegar por nuestros propios medios hasta Laguna Horcones.

Última etapa: descenso por la ruta normal

A la madrugada siguiente proseguimos por la senda, un interminable caracoleo enhebrando sucesivos refugios que hallamos desocupados. Parecíamos dos momias retornando de su viaje al pasado: la piel seca, los labios partidos eran la huella que había dejado la altura durante esos cinco días de escalada. Al bajar por la ruta normal me sorprendía pensando que todos los accidentes ocurridos en esta ruta eran incomprensibles. Este lado de la montaña mira continuamente al Pacífico que es de donde vienen todas las tormentas. Es difícil creer que un andinista no advierta la llegada del frente y tome las medidas necesarias para bajar o protegerse. También llegué a la conclusión de que la montaña es completamente ajena a los accidentes; somos los hombres mismos los culpables y víctimas de nuestros errores.

Caminábamos, por la fatiga, duros como muñecos; ni Hans ni yo pronunciábamos palabra. A mediodía divisé los refugios de Plaza de Mulas, pero por más que observaba, no notaba movimiento alguno. Me desesperaba pensar que no encontraríamos a nadie. Seguí acercándome, y cuando estaba ya entre las construcciones vi a Uggiere que venía a nuestro encuentro.

Recién ahí, en ese instante, la montaña me pareció maravillosa.

XIII. EN EL CONTINENTE BLANCO

Ushuaia, monte Olivia

El jueves 5 de enero de 1967 comenzó la expedición a la Antártida. Aprovechamos el retraso de la partida del buque y fuimos a escalar el monte Olivia, cerro que domina la vista de la ciudad de Ushuaia, desde 10 kilómetros de distancia. Cuando digo que *comenzó la expedición* me refiero a la integración del grupo, mejor dicho de cuatro de ellos, pues Alfredo Fragueiro no había podido llegar aún.

El presidente del Club Andino Ushuaia tuvo la amabilidad de llevarnos hasta la base, en un coche Comet Caliente, realmente extraño; la conversación se centró durante un buen rato en la explicación de ese modelo. Era un hombre bastante silencioso pero, cuando comenzaba a hablar, ya no se podía decir que fuera callado.

Bajamos, con muy poco material, en la desembocadura de un derrumbe viejo de la montaña. La vegetación lujuriosa absorbía todas las cumbres. El paisaje mostraba árboles retorcidos por las tempestades, escombros de rocas; daba la impresión de que el viento y el mal tiempo reinante casi permanentemente podían destruir esa naturaleza soberbia. El paisaje era deprimente, y esa sensación se acentuaba por la continua nubosidad y llovizna.

Comenzamos lentamente a ascender por el centro de este largo corredor que nos llevaría muy alto, lejos de la proximidad de la vegetación. Disimulando el ocio acumulado por todo un año de inactividad nos deslizamos, casi imperceptiblemente, en una caminata lenta. Tenía interés en conocer a los chicos, los observaba mucho, cómo se movían, cómo miraban, cada uno de sus gestos. Iba a hacer con ellos algo muy importante, casi lo más trascendente que había hecho hasta ese momento: la ascensión a las cumbres antárticas. Como jefe de la expedición, mi meta era la de componer una estructura compacta donde cada parte tenía que funcionar, desde el punto de vista técnico, a la perfección. Esas partes estaban allí, moviéndose, palpitando, llevando sus vidas adentro, y tenía que manejarlas con ductilidad, sin herirlas ni forzarlas.

En Martín Donovan se notaba una gran energía y una educación que brotaba en todos sus movimientos. Ismael Palma, una memoria notable: recitaba una cantidad de poesías del Fausto y otros gauchescos; un humor fino y lucidez de pensamiento. Jorge Ruiz Luque parecía tener menos experiencia y me seguía más de cerca.

Era todavía temprano cuando llegamos al límite de la vegetación donde haríamos noche para continuar al día siguiente los 600 metros restantes de desnivel.

Hasta la cumbre hay 1.300 metros. Como dimensión era bastante familiar, pero me daba pena que el conjunto fuera tan feo, triste y desagradable. Un montón de roca descompuesta, recubierta en las alturas por un musgo renegrido, arrojando pedreras por sus fallas, transmitía una sensación de miseria que recordaba mucho a los cerros del Norte, o a alguno de la Cordillera Central. El objetivo era muy poco atractivo, pero necesario para estudiar al grupo. Yo estaba en el peor de mis momentos, psíquicamente no me encontraba liberado y sentía en el fondo cierto presagio de desgracia. Los veía caer... tal era la sensación que me transmitía ese cerro. Quería que llegara el día para acabar con esa idea y con esa cumbre.

Pasamos el resto de la tarde tomando mate y haciendo una pequeña incursión monte abajo, en busca de agua y lugar donde pasar la noche. Encontramos un bosque que parecía una alucinación o una pesadilla, tupido de troncos, digno de una selva tropical. Ramas muertas arrancadas por el viento aparecían abandonadas contra los peñascos ubicados más arriba del bosque. ¡Qué impresión de destrucción! Hicimos una fogata que tranquilizó mi ánimo; fue notable el efecto que me causó este hecho. Impaciente, la alimentaba cuando disminuía el calor, quería que se secara la atmósfera, que levantase mi depresión.

A las cinco y media nos encontramos en plena subida bajo el sol, sin mochilas y comiendo algunos caramelos; manteníamos un ritmo rápido por las escarpadas rocas.

El gusto de trepar por trepar

La escalada transcurrió, desde un principio, por un enorme tajo que luego se subdividía en otros más pequeños a medida que subíamos, perdidos en las nubes y en la niebla que no se decidía a abandonar las cumbres. Nos invadió una sensación de agrado; el movimiento nos producía gusto por el solo hecho de hacerlo. Trepar, trepar y subir, encontrarnos nuevamente con algo olvidado. Nos reencontramos con un viejo amigo, el cuerpo, como animalitos escalando por el placer de estar en la montaña, alejado el recuerdo de que existía una cumbre.

La erosión del agua hacía que la roca no fuera compacta; a medida que ganábamos metros, esto se convertía en algo cada vez menos atractivo. En ese momento nos encontramos con la montaña y una cumbre que parecía no existir. La niebla no nos había dejado ubicar la cumbre verdadera, ni siquiera el desarrollo de la pared en su parte superior; habíamos trepado hacia arriba, sin saber exactamente por dónde íbamos. Y allí estábamos, encaramados en el filo somital, dudando entre una serie de torres en equilibrio enfermizo y tratando de ascender a la verdadera. Entre jirones de nubes vislumbramos una que parecía ser la real, y hacia allí partimos. En el tope apareció una más alta.

Descendimos, rodamos y, encordados, trepamos la segunda. La subida de ésta fue espantosa por lo desagradable de la piedra quebradiza amalgamada por el musgo.

Tampoco ésa era la cumbre, pero decidimos terminar allí la ascensión. Era inútil seguir buscando; sólo queríamos irnos de esa montaña. Lo que ocurría, además, era que

a este panorama yo tenía que añadirle que no estaba de
muy buen humor.

¡Por fin, a la mar!

Partimos en el barco Bahía Aguirre el día 7 con Alfredo
Fragueiro, que ya había llegado. El destino final era la isla
Amberes, frente a la base científica Almirante Brown, al
noroeste de la península Antártica. Habíamos elegido esta
isla grande, porque tiene unas montañas muy interesantes
y la más alta del sector antártico argentino. Un par de días
después cruzamos el famoso Canal de Drake y su fama quedó un poco desmentida pues fue muy benévolo en el trato
con nosotros. Aparecieron los primeros témpanos, enormes
edificios flotantes que, contrariamente a lo que pensaba, se
paseaban vestidos de negro y no de blanco inmaculado. En
ese momento pensé en quién tendría que pagar el copetín
por haberlos divisado primero.

Las horas que vivimos el día 10 fueron sensacionales;
por la madrugada entramos en la bahía Uruguay de las
islas Orcadas del Sur. No existen palabras para explicar la
belleza de esta zona. Mientras navegábamos en una penumbra fantasmal, íbamos descubriendo, desde cubierta,
un espectáculo nunca visto. *Pequeñas grandes* montañas
que emergían de un océano oscuro, sin relieve, sin perspectiva casi onírico. Realmente increíble: es un escenario de
diminutas cordilleras, pero ornamentadas como las más
grandes y lindas del globo.

A derecha e izquierda de la nave, un viento gélido arro-
jaba variadas imágenes sobre nuestras caras. Fantásticas fi-
ligranas elaboradas por el hielo que reúne en todas direcciones elegantes formas o especies de escombros de un viejo cataclismo, misteriosos témpanos flotando en la penumbra.

Luego de unas pocas horas mal dormidas, nos avisaron
que llegábamos a la Base de las Orcadas. Preparamos rápidamente nuestro equipo y desembarcamos. Reinaba en

ella una intensa actividad puesto que en 48 horas tenían que desembarcar todo el material para un año de permanencia, y elementos para la construcción de un edificio más moderno. Estábamos tan obsesionados por lo que veíamos como espectáculo natural, que poco y nada de atención prestábamos a lo que ocurría. Recuerdo que me llamó mucho la atención ver el riel de un pequeño ferrocarril.

La primera nieve antártica

Dejamos los esquíes al borde del glaciar, uno que llega hasta pocos metros de los edificios, y con gran expectación pisamos la primera nieve antártica. Tenía muchas dudas con respecto a la clase del terreno porque no sabía qué condiciones iba a encontrar en la montaña invernal: si con metros de nieve honda, con nieve mojada formando ciénagas en las depresiones o con algún fantástico *firn* (nieve dura). Gracias a Dios resultó de una excelente calidad. Rápidamente fuimos cobrando altura, gritando, haciendo bromas, sacando fotografías... Parecíamos una familia con muchos chicos en día domingo; nada de grietas, una leve pendiente final y calzamos grampones.

A la hora de marcha sobrevino la cumbre del cerro Monja. El espectáculo y el momento son difíciles de narrar, parecía como si viajáramos en la Géminis. El solo hecho de escalar una montaña emergiendo de una isla solitaria en un océano sin límites aumentaba la sensación de estar en el aire. Un mar tachonado de témpanos daba la impresión de un firmamento con sus estrellas y planetas; a esto se agregaba una luz difusa, efecto de la nubosidad de aquel momento. Era como una fantasía hecha realidad. Llegaban rumores de olas, los graznidos de las pingüineras, los gritos de los cormoranes y de las gaviotas que sobrevolaban: parecían casi trasparentes de tan blancas. En cuanto al terreno, presentaba unas cornisas semejantes a las peruanas, que se lanzaban sobre los filos; cerros negros, montañas blancas, horizontes grises... ¡Maravilloso!

El día 15 de enero anoté en el diario que nos estábamos llevando un recuerdo equivocado de la Antártida -según los viejos conocedores de la zona-, pues el buen tiempo que estábamos gozando era inédito: un mar de aceite con un sol maravilloso y temperatura agradable.

Dejamos atrás las islas Elefantes, perdidas y deshabitadas entre las Orcadas y las Shetland. Allí la tripulación del buque cumplió con una labor de relevamiento. Buscaban un bajo fondo que resultó inexistente. Además intentaron arreglar una baliza tan destruida, que no hubo modo de repararla.

No dejaban de impresionarme esas islas que fuimos enhebrando; daban una sensación tal de soledad, de aislamiento, de lejanía de un continente, que me parecía estar experimentando un olvido de la naturaleza en su *fabricación* del mundo. Era algo que no tiene parangón en ninguna regla geológica. También dejamos Dundee con su flamante base Petrel; un destacamento combinado de Aeronáutica y Marina estaba intentando ubicar un aeropuerto para aviones pesados. Para esa obra habían construido una pequeña casilla de dos camarotes para diez individuos. Pensé que nadie los envidiaría.

En Dundee hicimos contacto con el verdadero continente antártico. Entonces nuestro rumbo era francamente sur a través del estrecho de Gerlach. Era tanta la impaciencia por llegar a la isla que una noche me dediqué a ordenar el equipo de desembarco, y todavía faltaban tres días...

Cuanto más nos acercábamos, más continuo se hacía el día y, prácticamente, no teníamos ni un solo minuto de oscuridad. Ya habíamos perdido la noción de cuándo correspondía dormir y cuándo no. Inclusive las comidas, que eran lo único que marcaba el ritmo del barco, las teníamos confundidas. Por suerte existía un agradable bar que nos sacaba de apuros.

Con el comandante ya habíamos planificado nuestro desembarco en la isla; circunscribimos la exploración de la costa, a la bahía León y a la península Bonaparte, lugar donde se instalarían los yanquis con su destacamento Palmer.

Tenía grandes esperanzas de poder desembarcar en el lugar ideal, que sería la bahía Borgen, punto equidistante de los grandes cerros de la isla y también muy cerca del cerro Francés. Continuaría con ese nombre o con el de Teniente Ibáñez. En los últimos tiempos se habían realizado muchos cambios de nombres, hecho que no hacía más que confundir sin ninguna utilidad.

La aparición del monte Francés

Por fin, al día siguiente conocimos al personaje principal de esta obra. Navegando en un mar completamente calmo y con cielo despejado, muy de madrugada emergió algo que semejaba una nube blanca por encima de las demás montañas. En la superficie todos los elementos estaban en calma, las costas estáticas. Era como un océano despreocupado a la deriva; pero allá arriba se veía algo que pugnaba por surgir. Lentamente fue cobrando forma y vimos por primera vez el monte Francés (o Teniente Ibáñez). Su entrada en escena apareció como algo casi teatral; primero su cumbre que semejó unirse con el cielo: tan alto relucía. Luego sus mansos flancos alcanzaban los cerros satélites que, no obstante altos, se veían disminuidos en contraste con el gigante. Cataratas de hielo desbordaban desde las alturas e imponían su presencia tal como lo haría un gran elefante blanco; manso, reposado, tranquilo, himalayesco.

No hubo mucha algarabía, sólo un profundo respeto por lo que estábamos viendo; respeto por la belleza, por los inmensamente felices momentos que estábamos viviendo. Nada nos resultaba más fantástico que pensar en ese futuro de treinta días que teníamos para ascenderlo, para consumirlo, para admirarlo.

El buque, a todo esto, iba reconociendo los refugios argentinos que se dispersaban en la bahía. Penetramos en el canal Herra, para llegar al Comandante Fliess; por todas partes veíamos cerros que semejaban maravillas hechas hielo. Glaciares desgranados por curiosas presiones, paredes góticas por la rara formación de sus rocas, pálidas unas, granadas otras. Fiordos negros rematados por la gran meseta *englaciada*.

Resultaba difícil absorber todo esto. Filmamos metros y metros de película; todo era bueno, todo servía. Fotografiamos hacia todos lados. Observé que existían muchas paredes con hielo vivo y vidrioso, con pendientes extremas y de una nieve de muy buena calidad. Casi todas tenían microdimensiones. Sólo el Francés mantenía las proporciones de una auténtica gran montaña.

Para los andinistas, el paraíso

Pensé que si los andinistas buscaran un paraíso donde las condiciones ideales tomaran forma de paredes con poco desarrollo, pero con las características de las grandes, donde los esfuerzos fueran reducidos debido a las pequeñas distancias, ese lugar lo encontrarían en la Antártida. Al llegar a la base Brown, una noticia revolucionó a pasajeros y tripulación: el *Lapataia* arribaría en dos horas e invitaban a oficiales y civiles a tomar un *drink* a bordo con cincuenta norteamericanos en viaje de turismo. Esto conmocionó al buque entero, no obstante saber que el promedio de edades no descendía de los 50 años. Comenzaron a surgir personajes con imágenes desconocidas, todos relucientes, trajes y corbatas, peinados dignos del 1900, entusiasmo y comentarios que no me atrevo a transcribir y, por supuesto, nosotros ahí *prendidos*...

Resultó todo un éxito, divertidísimo y por demás extraño. Gente vestida cuidadosamente, bailando, whisky, conversaciones sobre África, Japón, alejados completamente de la realidad exterior. Al día siguiente, estaríamos con el corazón en nuestra isla, en un campamento base frente a nuestra montaña; a través de las ventanas, glaciares de nieve antártica. Solamente en estas tierras ocurrían esas cosas.

Cuando quiso tomar la lancha para regresar al buque Ismael se encontró con un gran témpano que clausuraba la planchada de descenso; recurriendo a la técnica montañesa, instaló un clavo y, en *rappel*, y ante los ojos asombrados del personal marino, descendió por la borda a la lancha que esperaba.

Desembarco en la isla

Una vez en tierra firme, nos instalamos con gran comodidad. Desembarcamos en un lugar ideal, especie de peñón en forma de muelle que sobresalía en una abrigada bahía y allí nos esperaba un enorme elefante marino que nos observaba inmutable; con sus grandes ojos miraba cómo le invadíamos su hábitat. Recién entonces se dignó abandonar la playa.

Inmediatamente comenzó una rápida descarga. Queríamos tener todo instalado y en su sitio con esa clásica impaciencia de los montañeses. Apenas se encuentra uno frente a la montaña quiere protegerse, no térmicamente, sino rodearse de elementos que absorban ese poderoso espectáculo que son los cerros.

Carpas, víveres, música, tranquilidad... así fue por unos días hasta que, poco a poco, nos aclimatamos a la montaña y los elementos que nos rodeaban dejaron de conmovernos con un estado de inseguridad.

Cuanto más grande y difícil es la empresa más se necesita de esta transformación. En poco tiempo nos familiarizamos con el lugar. Armamos tres grandes carpas de cara al estrecho Neumayer; allí gozábamos de cierta perspectiva en correspondencia con las montañas que nos rodeaban. Relativamente cerca, había pequeñas grietas que causaron gran alarma por parte de algunos, sobre todo en los primeros transportes; luego cobraron confianza y las ignoraban, saltando entre ellas.

Alfredo, fanático por la radio, estableció sin problemas contacto con Decepción, estación que sería nuestra única ligazón con el mundo exterior, aunque no sabíamos qué ayuda podría brindarnos en caso de urgente necesidad, ya que no había ningún buque navegando en un radio no menor de mil kilómetros. Soledad... ¡¡¡divina soledad!!!

Un día de reconocimiento de los cerros

Una tarde, con Jorge y Martín salimos a explorar los pasos de acceso al cerro Francés. Aunque no lo habíamos visto todavía, intuí que detrás del cerro que nos dominaba, estaría el mejor punto de ataque a la cumbre. Fue algo curioso el que dejara de oprimirme esa gran excitación por el objetivo, como me había pasado con aquellos grandes de la Patagonia y del Perú; no sé si serían los treinta días de tiempo que teníamos para el ataque al cerro, o si estaría sufriendo un tipo de evolución pacífica y de no agresión hacia el objetivo.

Calzamos esquís y a campo traviesa, tratamos de alcanzar un col a nuestra izquierda; comenzamos en mala hora, pues muy tarde, sobre el ocaso, el cielo se cubrió con una niebla que parecía estabilizarse a los setecientos metros y que nos impedía la visual. Quedó estacionaria hasta que bajó la temperatura a eso de las tres de la mañana, despejándose inmediatamente hasta la tarde, en que comenzó otra vez el ciclo. De cualquier forma gozamos bastante de la caminata; todo era novedad. Los chicos esquiaban por primera vez y con todos los percances propios del principiante se divertían doblemente. Ascendimos en forma rítmica un glaciar de pendiente muy cómoda con nieve bastante mojada en su parte inferior; pero a medida que ganábamos altura cambiaba, se hacía más seca y compacta.

Las montañas cobraban vida; la posición tan estática que aparentaban tener desde la cubierta del buque, se transformaba en otra bien activa. Pequeños aludes parecían provenir de las nubes; un gran rugido y, en pocos instantes, una lluvia de piedras y hielo que se precipitaban en el valle; mientras tanto, las costas no dejan de embarullar la pacífica existencia del mar.

Ataque de dos cordadas

El domingo 22 de enero la expedición abrió fuego contra dos de las cumbres: Jorge, Ismael y Fragueiro arremetieron contra el pico Billie; de mil metros aproximadamente, es como un cerco que contiene la punta sur de nuestra cadena de montañas.

Mientras tanto, con Martín orientamos nuestra marcha hacia el norte, tratando de alcanzar el collado Verde Elevado, posible acceso al filo del Francés. No muy temprano y con lo puesto, filmadora y caramelos, emprendimos la ascensión; en su transcurso vivimos momentos inolvidables. Atravesamos una serie de glaciares y en esa hora tardía la nieve era pésima. El acostumbrado techo de nubes producía una especie de filtro refractario aumentando más la temperatura; así la caminata resultaba bastante sufrida y aburrida: un paso detrás del otro en un ritmo extremadamente lento para evitar el cansancio y la posterior deshidratación. Cuatro horas nos llevó esta corta travesía.

A todo esto nuestros ánimos estaban impacientes, pues nos movíamos totalmente a ciegas; no se veía más allá de 90 metros y no se avizoraba la salida de nuestro col. La pendiente comenzó a ganar altura y nosotros con ella e, intuyendo cada paso, nos encontramos sorpresivamente en situación muy delicada. Empujados por la niebla habíamos ascendido primero por un *couloir* de avalanchas que provocaba el frente del glaciar superior precisamente allí donde estábamos. Enormes seracs mantenidos en un equilibrio demasiado precario amenazaban desprenderse en cualquier momento.

El fenómeno de las grietas

Profundas grietas nos cortaban continuamente la ascensión; montones de escombros obturando algunas de ellas producían un sonido atemorizador al cruzarlas por encima. Conocimos de un pantallazo la construcción de estas montañas; la continua precipitación de nieve hacía que el hielo que recubría los cerros soportara mucho peso, resquebrajándose en todos los sentidos, y originara grietas de curiosa orientación.

Con independencia de la inclinación, estas grietas se abrían longitudinalmente en forma de cruz, cerrando por completo el avance; anchas en sus bocas, mantenidas por puentes de nieve no muy compacta, de gran extensión, hacían interminables los instantes que nos llevaba trasponerlas. No obstante, Martín mantenía su calma y nos permitimos filmar unos metros; no sé si estaba tranquilo porque desconocía el peligro que corríamos o si, a pesar de darse cuenta de él, dominaba el temor.

Enhebrando puentes y posibilidades, con los nervios deshechos conseguimos alcanzar el collado. A todo esto, el tiempo había corrido en alas de la preocupación, eran ya las seis de la tarde y la cumbre del Elevado continuaba distante; necesariamente se imponía un cambio de planes.

En busca del descenso

Impresionado como estaba, descartaba de hecho nuestro retorno por el mismo camino; hacia el valle del Francés era imposible descender, puesto que los glaciares se desprendían en voluptuosas cascadas. La única posibilidad que nos quedaba era ascender la cumbre del Verde y recorrer el filo hacia el sur, esperando que se pudiera bajar mansamente al col explorado días atrás. Rodeamos el morro que une las dos cumbres y desembocamos, a boca de jarro, en un increíble espectáculo: el Francés de cabo a rabo, de frente y bien cerca nuestro. Por primera vez se nos mostraba para un estudio a fondo de sus accesos y *metabolismo*.

Desde ese lugar, las originales rutas observadas dejaban de existir; nos habíamos olvidado de las dimensiones y la retorcida *glaciación* que impedía los hipotéticos pasos; no obstante descubríamos otros más arriesgados y elegantes.

Creí que el espolón central, que atrae por la pureza de sus líneas, sería una ruta de muy buen valor técnico; mi única duda era acerca del acceso a su nacimiento, pues permanecía en una incógnita bajo el manto de niebla. Dos mil setecientos metros de desarrollo... una buena empresa...

Descansamos unos minutos, conmovidos por tanta belleza y por las diez horas de continuo movimiento. Aprovechamos estos instantes de calma para estudiar nuestros próximos pasos hacia la cumbre del Verde, itinerario que se presentaba complicado y no muy claro; a medida que nos acercáramos se iría viendo.

Impacientes, comenzamos la ascensión. Entonces surgieron tramos de nieve honda, pequeños resaltos de nieve granulada, grietas malsanas y una leve sensación de situación crítica puesto que nuestra retirada se encontraba supeditada a un filo del cuál no sabíamos qué esperar. Trataba de borrarlo de mi imaginación e intentaba pensar sólo en la cumbre; esperaba que no estuviera a mucho desnivel. El cansancio que sentíamos era mayúsculo, constituía la primera verdadera ascensión luego de diez meses de inactividad y, como debut, era más que suficiente.

La conquista de lo inútil

Hay un momento en el que uno querría desaparecer de este cerro; nos hallábamos tan fatigados psíquicamente que no soportábamos más el cansancio, aun cuando nuestros cuerpos respondían a la perfección. El hecho de estar superándose en forma permanente ante el esfuerzo y lo precario de la seguridad, agota tanto nuestra moral, que uno llega a preguntarse qué sentido tiene todo esto, qué interés hay en martirizarse tanto en algo que hostiga en forma tan rotunda.

A las diez de la noche sobrevino la cumbre del Verde: un hongo de hielo suspendido en el cielo. Nos dimos un abrazo emocionado, producto de una ascensión delicada, con momentos álgidos. Desconocíamos totalmente cómo regresar al campamento base. Pusimos banderas, comimos algunos caramelos y tomamos la última lata de naranjada: cartuchos finales de una mochila ya exhausta.

Para iniciar el descenso nos ubicamos adecuadamente con respecto a los demás cerros, y apuntamos en línea recta hacia el supuesto col embebido en nubes, que no nos permitía ver la resolución del filo. Debido a una nieve fantástica por lo compacta (todo lo contrario de la de la otra ladera) casi volábamos descontando metros hacia una incógnita. A las once de la noche llegamos al nivel de las nubes, y allí se acabó el mundo: el mundo de la luz y la seguridad. Un caos de hielo se convertía en algo espeluznante que se extraviaba en el vacío; un vacío como nunca había vivido. Grandes balcones se perdían en la oscuridad intentando taladrar las tinieblas; buscábamos una bajada inexistente.

Retorno por la ruta del ascenso

Pero la duda duró poco, pues la única posibilidad era retornar por la ruta del ascenso. Con gran amargura y cansancio, resignados, buscamos el lugar para un no muy feliz vivac. Con lo puesto, en plena Antártida y a una altura respetable, el pronóstico de nuestra noche no era nada halagüeño.

Sin nada de comida y sin agua, inexplicablemente estaba contento. Algo increíble. Sin embargo, pasar una noche en la alta montaña tiene siempre un atractivo muy especial. Es como ser testigo de algo bien íntimo que vive en las montañas: cuando dormita una vez que el sol lo deja; y luego cuando renace y dialoga mientras la luz lo vivifica.

Algunas gaviotas revoloteaban curiosas sobre nuestras cabezas, agregando una nota disonante a esta imagen de lo inmóvil, que son los cerros a esa hora. Sólo cuatro horas duró nuestra inmovilidad, porque no aguantamos más. Muy de madrugada, doloridos y cansados por el continuo tiritar, emprendimos nuestra segunda ascensión al cerro Verde. A las seis y media pasamos inadvertidamente por la cumbre, tomamos el hilo de Ariadna por un extremo y retrocedimos siguiendo nuestras propias huellas. Lo cierto es que no resultó tan desagradable como temíamos; creo que ya estábamos galvanizados por tanta grieta, tanto puente y pendiente.

Muy pronto nos sumergimos en las nubes y reaparecimos en el mundo gris y triste de lo plano: el campamento, la cerveza y una cama donde dormir sin más preocupaciones que reconstituirnos. Alfredo, Jorge e Ismael habían regresado victoriosos de la cumbre del Billie.

Días de inmovilidad

Sobrevinieron una serie de días con tormenta; en los primeros, la nieve húmeda y pesada penetraba lenta pero segura a través de las carpas empapando poco a poco todo lo que llevábamos puesto. A continuación hubo algunos intervalos muy cortos que nos permitieron ver cómo cambiaba la fisonomía de lo que nos rodeaba. Hasta que llegó la lluvia, fenómeno que creíamos inexistente en la Antártida. Con todo, también la tuvimos, y empeoró más la situación. Comíamos, dormíamos y, a veces, leíamos. Vida, con excepción de esta última actividad, idéntica a la de las focas, que no dejaban, según las empujase la corriente, de visitar nuestra pequeña bahía. Deduje que debía ser una de las especies que habitan el planeta que menos problemas de subsistencia tendrían. La foca se limitaba a comer de una pesca que había en abundancia; luego se pasaba la mayor parte del día inmóvil, navegando sobre un témpano, tomando sol. Su único enemigo eran las orcas, poderoso animal cuya presencia hasta nosotros aprendimos a percibir. La respiración era tan sonora, como evidente su enorme aleta que afloraba en la superficie. Vimos pocos pingüinos, ya que no había playa suficiente para albergarlos, pero sí gran cantidad de elefantes marinos. Uno de los paseos, producto de la inactividad, era ir a observar sus reacciones -a distancia siempre- tirándoles piedritas.

Había animales de variadísimos tonos y de existencia bastante feliz, que culebreaban sumergidos por entre los pequeños bloques de hielo flotante y que emergían pesadamente tratando de recuperar su témpano perdido; y así todo el día.

De aves entendía muy poco, pero continuamente aparecían especies nuevas, gaviotas transparentes, algún enorme petrel y diminutas pseudogolondrinas.

Vivir en esas magníficas montañas era una rara conjunción, mezcla de paisaje marino, himalayesco y, a la vez, patagónico. Si bien nos desorientábamos a menudo, resultaba fantástico permanecer constantemente en ese sopor. No diría la verdad si afirmara que la tormenta nos molestaba. El exceso de la calefacción a gas nos permitía secar todas las cosas a medida que se humedecían. Había partidas de truco fabulosas y las infaltables de *crapette*. Continuaba el mal tiempo; no sabíamos si cuando despejara volveríamos a encontrar los cerros, ¡quizás habían quedado sepultados del mismo modo que parecía que se hundía nuestra isla!

Un impasse que nos sirvió de mucho

Por fin un día establecimos contacto con nuestro espolón. Estábamos ya a fin de mes y, aprovechando un *impasse* del tiempo, Martín y yo calzamos los esquís y partimos casi disparados hacia el objetivo. El propósito era ubicarlo dentro del enorme anfiteatro y trazar una huella hasta su misma base; de este modo, cuando las condiciones normales regresaran, no tendríamos mayores problemas en encontrarlo en medio de la niebla que, a esa altura, afectaba todo el valle a un solo nivel.

Retomamos la dirección del primer reconocimiento, y en dos horas llegamos al col que divide nuestro corte del valle del Francés. Unas nubes altas ocupaban todo el horizonte, haciéndonos temer que la mejoría no sería muy larga. La niebla estacionaria no permitía ver más allá de cincuenta metros; personalmente, en mi interior, maldecía estas estúpidas condiciones: no poder ver los cerros que queríamos escalar, estar continuamente desubicados con respecto a todo y, además, esa especie de claustrofobia permanente que me invadía. Toda la felicidad de los primeros momentos se tornaba en una sensación de impotencia y en la angustia de un futuro incierto. Detuvimos la marcha y esperamos media hora... una hora..., y lenta, pero finalmente, se descubrió ante nosotros un espectáculo imponente. El Francés estaba allí, al alcance de nuestros cálculos, revelando todos sus secretos que, hasta entonces, nos ocultaba. Me devolvía una tranquilidad de espíritu que se hacía ya muy difícil de sostener.

Nos acercamos más, queríamos llegar hasta la misma base para no tener problemas futuros; pretendíamos analizar bien las grandes grietas que parecían interrumpir los primeros tramos del espolón. Las dimensiones de éste eran increíbles y constituían los verdaderos y únicos problemas que existían, puesto que la inclinación no parecía ser muy pronunciada y la calidad del hielo resultaba excelente o, por lo menos, no tan mala.

La ruta en sí, por el centro y en la cumbre, era de una elegancia que, en montaña, se da muy pocas veces. El ambiente que la rodeaba presentaba un clima severo. Todo aparecía grande, enorme: así, las avalanchas que se desprendían de sus paredes, los cortes de sus accidentados glaciares, las inclinaciones de sus interminables flancos. Nos felicitamos por haber elegido un objetivo de semejante belleza. A la una de la mañana, con una sección de luna que iluminaba el glaciar, llegamos nuevamente al campamento base.

Jorge e Ismael estaban en esos momentos ascendiendo el Puntiagudo por la pared este. Sus esfuerzos fueron vanos puesto que la salida de la ruta estaba clausurada por el frente de un glaciar que recubría los filos.

Alfredo, por su parte, estaba con una bronquitis desde hacía días. En cierto momento estuvo tan mal que pensamos seriamente en que había que lograr algún contacto con la civilización. En esas circunstancias comprobábamos la realidad de lo precario de nuestra situación en la isla, aislados y sin la más remota posibilidad de recibir ayuda de ninguna parte. Esto hacía delicadísimo cualquier movimiento en falso que pudiéramos dar y exagerábamos los cuidados. Felizmente se restableció.

Por fin, el momento señalado

Cuando ya habían pasado unos días, estábamos en febrero, llegó por fin la hora que precede los grandes acontecimientos. Bajo un cielo plomizo apareció la luz por el este y unas aflautadas nubes se desparramaron por entre las cumbres, bien altas e inalcanzables, mostrando un conjunto de formas inimaginables. No sé por qué elegí ese día para la partida; el tiempo no era del todo bueno y estable pero, aún así, estaba seguro de que era el apropiado. Pasado el tiempo, sospecho que no pude esperar más; ya eran demasiados los días de inactividad, y casi habíamos olvidado que estábamos en la montaña para subirla y no para contemplarla. Una especie de letargo invadía el clima de la expedición de tal manera que, de haber seguido inactivos, hubiera adormecido completamente los ánimos, quitando el espíritu agresivo fundamental en estas empresas.

Esa mañana conseguimos retomar a medias el ritmo de sueño, levantándonos a las once, hora temprana para quienes estaban habituados a dormir durante el día; inclusive pensé que lograríamos almorzar. Esto era importante para administrar los esfuerzos y energías en los días que seguirían.

Preparé todo cuidadosamente. Repetí escenas de otros grandes instantes en diferentes circunstancias; llegué a sentir inclusive los mismos síntomas y estados. Había en el ambiente algo de nerviosismo y el afán de no olvidarse de nada, imaginando los percances que podrían ocurrir. Allí estaba un calentador, viejo e inseparable amigote, que tantos momentos graves presenció; una pequeña carpa a la que tenía especial cariño, pues me había salvado la vida en el Aconcagua cuando hacía un vivac con un compañero; un pañuelo imbuido de recuerdos que me traía seguridad y placidez, muy necesarios en esos momentos (esto me hacía sentir en una escena del medioevo francés, cuando los cruzados llevaban mantillas de sus siempre distantes bienamadas). Cargaríamos alimentos para tres días, lo cual incluía la dorada intención de permanecer un día en la cumbre pues no estaba dispuesto a descender sin haber visto el panorama en su totalidad. También acarreamos la filmadora, de peso desconocido, que parecía poseer toneladas que se agregaban a lo imprescindible; la bandera, y unas ganas de movernos y de entrar en acción que me hacían rechazar como imposible la idea de no iniciar inmediatamente la ascensión.

El 7 de febrero de 1967 partimos Martín Donovan y yo. Las despedidas, como lo hacemos habitualmente, fugaces, evitando las palabras y deseos de algo que está sobreentendido: *que tengan suerte, vuelvan con la cumbre en la mochila...*

Ya estábamos en movimiento y abandonados a nuestra propia suerte. Todo lo que hiciéramos y resolviéramos nos permitiría sobrevivir a la empresa. Lucíamos perfectamente tranquilos y una auténtica felicidad brotaba de nuestras miradas. Una brisa fresca convertía la caminata en un verdadero placer. Eran las seis de la tarde y la dureza del glaciar nos permitía avanzar rápidamente y sin fatiga. Se daban las circunstancias ideales para un buen comienzo. Estaba tan duro que podíamos caminar sin los esquís puestos. A los pocos metros nos los quitamos y cargamos en las mochilas. Lamentablemente constituirían una carga inútil hasta bajar del otro lado del collado pero, por otra parte, representaban una garantía: nos permitirían volver en caso de una gran nevada o si el glaciar se ablandaba.

A las dos horas, en forma sorpresiva, estábamos en el col; un cuarto de hora menos que las veces anteriores, y esta vez con carga. No estaba del todo mal... El Francés estaba allí, frente a nosotros y, ahora, nuestra escalada sería a fondo.

A las once de la noche acampamos al pie de la enorme montaña; sus notables dimensiones no dejaban de preocuparme. Desde el punto máximo alcanzado en el reconocimiento anterior, creía que nos quedaban veinte minutos, poco más o menos, para tocar la pared verdadera, a una distancia de dos o tres kilómetros, pero empleamos una hora y media en recorrer esa diferencia; de ese modo comprobamos que aquello sobrepasaba nuestros cálculos. La cumbre dominaba el improvisado campamento, pero no era esto lo que me preocupaba, sino la pared inicial que tendríamos que superar para alcanzar el espolón propiamente dicho.

Calculé que tendría una altura de quinientos metros, pero con una salida rematada por cornisas bastante grandes, lo suficiente como para no poder escalarla. Esperaría hasta que estuviéramos debajo y resolveríamos allí el problema. Por el momento nos regalábamos con una puesta de sol con reflejos rojo sangre entre las nubes. El mar, bien abajo en la bahía Borgen, lucía como en raras ocasiones, descubierto de nieblas y con algunos pocos témpanos. Interpreté que había cambiado la dirección del viento y con esto habría alguna posibilidad de que mejorase el clima incierto de este día.

Momentos previos a la gran ascensión

Se me ocurrió pensar que vivir esos momentos previos a cualquier ascensión de importancia son siempre fastidiosos. Nos corroía de impaciencia la incertidumbre de lo desconocido. Aquí residía la gran diferencia entre el andinismo que practicábamos en esos días y el alpinismo tradicional europeo. El hecho de tener que afrontar una montaña desconocida predispone a un estado de ánimo muy especial y molesto. En cambio, un cerro ya conocido con una ruta ya recorrida por el ser humano, devolvía la confianza y una tranquilidad interior mucho más feliz y agradable; podría ser que estuviera algo cansado de afrontar continuamente, no sólo la montaña con sus dificultades, sino las muchas incógnitas que la precedían.

También me preocupaba Martín, puesto que nunca había escalado con él y no sabía cuáles eran sus límites de resistencia ni cómo respondería en situaciones de fatiga extrema; parecía que aquí las tendríamos en abundancia. Como compañero era la persona ideal, pero, desgraciadamente, a la montaña le importaba muy poco todo esto. A ella le interesaba el hombre sólo como elemento, como algo que subiera más o menos eficientemente, que supiera superar los problemas que le presentara y que tuviera inventiva para resolver alternativas que son continuamente nuevas e inesperadas.

Esta visión del hombre ante la montaña se me hizo carne hace mucho tiempo en las oportunidades en que tuvieron lugar las grandes escaladas.

Los límites extremos

Cuando se trabaja continuamente a un nivel extremo de montaña y se está en los límites de la resistencia humana, puede darse el hecho de que ésta no admita actos de solidaridad hacia el prójimo, sino solamente reacciones instintivas del animal que todos llevamos dentro: son las del hombre hostigado por los primitivos elementos de la naturaleza. Esto lleva al sujeto a divorciarse, en esos momentos, de cualquier lazo afectivo o miramiento para con sus compañeros. El resultado son continuos roces y malestares con la expedición.

En la Argentina no existen muchas personas que hayan evolucionado en este estado de cosas; por eso, alguna vez me ha resultado bastante difícil llegar a una cumbre con mayúscula, y volver con un amigo. En alguna ocasión se llega al límite de considerar al hombre en montaña como un simple elemento. El estar superándose tanto física como anímicamente ante una gran empresa se transforma en algo automático que toma un ritmo, marcado por un paso detrás del otro; que reacciona igual a como lo haría una computadora a la cual hubiéramos suministrado, a través de una trayectoria en montaña, una cantidad de información que, combinada en forma elemental, lo salvaría a uno en situaciones extremas. Gracias a Dios, existen siempre los momentos lúcidos de conciencia humana, y es el valor de estos preciosos instantes los que nos llevan a la montaña, no obstante las penurias y sinsabores que este *métier* nos depara.

Por fin pasó esa noche. En la madrugada del siguiente día nos encontramos ya listos y preparados. Traté de combinar lo elemental con el mínimo peso. Llevaríamos sólo una mochila en la que tenía que caber todo: en primer lugar, la carpa, dos sacos de *duvet,* algo de comida, un litro de agua y la filmadora. Me prometí interiormente no filmar hasta tanto no transitáramos por terreno cómodo y seguro; era algo difícil de combinar, pero... veríamos.

En cuanto al equipo de *ferretería,* dos clavos de hielo, una piqueta en cada mano (era suficiente para lo que nos esperaba) y, por supuesto, una soga de cuarenta metros en doble. El inicio del ataque estaba muy próximo a nuestro vivac; éste era el cono de eyección de la avalancha que desprendían las cornisas superiores. Inmediatamente superamos la rimaya inicial taponada con algunos clásicos bloques y estuvimos ya en plena pared.

En los primeros metros nos enfrentamos con la mala calidad de la nieve. Era muy temprano, sin embargo se notó un rápido ablandamiento de la capa superior que dejaba al descubierto un hielo duro y granulado.

Avanzamos los dos juntos, sin darnos seguridad y a paso lento. Traté de establecer un ritmo descansado que, a veces, la pared no permitía; manchones de hielo vivo exigían una rápida ascensión, para luego retomar la cadencia normal. Evité los canalones principales de caída bordeándolos sobre estrías de una nieve más consistente.

A la hora de la ascensión la exposición era considerable y exigía ciertas precauciones. Emplazamos pequeñas plataformas, más para sentirnos seguros que por necesidad efectiva. Los mangos de las piquetas no penetraban lo suficiente, disminuyendo así la posibilidad de protegernos.

Huyendo de las avalanchas

Cien metros por debajo de lo que intentaríamos como salida la inclinación aumentaba y la consistencia de la nieve empeoraba, dado lo avanzado de la hora. Sentí que las estalactitas comenzaban a gotear y la pared toda iniciaba los deslizamientos en sus partes más inconsistentes. Urgía salir de esa zona; no nos dábamos descanso y acelerábamos nuestro ritmo. Tres largos muy delicados me dejaron bajo las cornisas finales y, entonces, pude entrever, a mi derecha, una salida evidente. Martín subió a su vez y superó fácilmente los metros finales. A las nueve y media estábamos sobre el filo; si nos hubiéramos demorado media hora más, no hubiésemos subido. El calor era ya intenso y provocaba el desmoronamiento de la pared entera. Trepábamos en mangas de camisa desde hacía un buen rato, y la sed ya empezaba con sus síntomas incipientes... Como inauguración del ascenso, bastante malo.

Un cielo despejado dejaba al descubierto un sol calcinante. A nuestra izquierda, una pared de dimensiones desconocidas, que participaba de la temperatura, nos saludaba con avalanchas descomunales. Digo desconocidas, pues parecía tener tanto mil como dos mil metros. Luego comprobaríamos, por lo lento de nuestro avance y una mejor apreciación, sus dos mil trescientos metros reales... ¡Increíble!

En este punto comenzó nuestro espolón, enorme lomo nevado, que trepaba lentamente en dirección hacia la cumbre; esa cumbre que creíamos cercana y al alcance de unas pocas horas de ascensión. Inclusive arriesgué una hora de llegada: las cinco de la tarde ¡Qué lejos estaba de la realidad!

Aparición de tres grandes grietas

En sus primeros tramos presentaba tres grandes grietas que interrumpían la ascensión directa. No obstante, a medida que nos aproximábamos, fuimos descubriendo algunas posibilidades de superarlas a través de puentes que, a la distancia, no se distinguían. Recorrimos unos pocos cientos de metros con nieve congelada y enseguida empezó la nieve honda que no nos habría de dejar casi hasta la cumbre. Estaba seguro de que si existieran montañas de catorce mil metros, éste sería el ritmo con que habría que subirlas: con pasos imperceptibles y con lentitud desesperante. Evitábamos conversar y cualquier movimiento que nos agitara haciéndonos perder nuestra preciosa humedad; por eso también, a medida que íbamos consumiendo el agua de nuestra cantimplora, la reponíamos con nieve que no tardaba en derretirse, para guardar una reserva razonablemente prudente.

Atravesamos los primeros puentes conservando una dirección económica, es decir, no malgastando metros en sondeos innecesarios que nos llevarían horas de demora y derroche de energías. El cruce de la tercera gran grieta fue bastante curioso. Luego de trasponer el consabido puente, chocamos con la pared superior; allí, una expuesta travesía por un pedazo de nieve adherido no muy consistentemente nos depositó en una gran caverna originada por el rulo que forma el labio superior al caer al vacío. Aprovechamos su sombra y su fresco para reponernos un rato y luego comenzamos la salida hacia afuera, algo extraplomada y, después, en travesía levemente en ascenso.

La nieve blanda nos cambió todos los pronósticos

A las once y media no habíamos avanzado más de trescientos metros de desnivel. ¡Qué promedio y qué pronóstico! Íbamos a cien metros por hora y todavía quedaban dos mil. Sobrevinieron algunos paréntesis impuestos por el espectáculo que íbamos dominando: el mar estaba sin una nube por delante, como tantas otras veces, y este hecho daba a las montañas un relieve espectacular; el azul profundo de las aguas ponía en perspectiva y mucho más acentuado el blanco inmaculado de los glaciares. En Orcadas tuvimos un adelanto, pero esto escapaba a todos los cálculos. Antes comenté que teníamos la sensación de viajar en satélite; desde allí donde estábamos, parecía que observábamos la Tierra desde la Luna. Cada témpano era como una nube; cada isla, una tormenta, y cada montaña, un continente. El mar seguía siendo mar, amalgamando todo el conjunto.

Martín me relevó en la huella pasándome la mochila; hacía ya cinco horas que avanzábamos con nieve hasta la pantorrilla, y el cambio me venía muy bien. Atrás era más descansado, puesto que no tenía más que seguir las huellas que, con dificultad, iba dejando el primero. El cambio fue notable y ahora podía pensar en otras cosas; estaba completamente ajeno a lo que me rodeaba. Sentía como si viajara en una burbuja aislado de todo. Aproveché para filmar algunas escenas y a cada hora nos deteníamos el tiempo suficiente para consumir algunos caramelos y humedecer la lengua. Los primeros estornudos de espolón ya los teníamos bastante cerca; eran unas especies de promontorios originados por los seracs sumergidos en una nieve harinosa. Sin embargo; para evitarlos; los afrontamos directamente, así nos permitirían ganar con más rapidez unos metros en hielo duro. Salimos por unos momentos de la monotonía de nuestra ascensión.

A las seis de la tarde detuvimos la marcha; habíamos llegado sólo a mil quinientos metros de altura y nos faltaban

todavía los mil doscientos restantes. Las condiciones continuaban siendo las mismas que a niveles inferiores, y abri-
gué la esperanza de que el frío del atardecer congelara un
poco la nieve e hiciera de nuestro avance una ascensión y
no un calvario. Por otra parte, Martín estaba bastante cansado. Yo no quería que quemase sus resistencias, pues estábamos todavía muy lejos de la cumbre. Mi única preocupación para vivaquear era que el tiempo cambiase súbitamente y tuviéramos que retroceder y perder la cumbre
después de haber luchado tanto como veníamos haciéndolo hasta ese punto.

Un corto vivac

En fin, no había otra solución más que detenerse y armar nuestro primer vivac. Mi intención era tratar de dormir algo y salir nuevamente a las once de la noche. Si a
esa hora la nieve mejoraba, llegaríamos a la cumbre con
los primeros rayos del sol, aproximadamente a las cinco
de la mañana. Luego tendríamos cuatro horas para volver
a estar en situación prudente destrepando la pared inferior; era imprescindible hacer esto temprano. No llevamos las bolsas de dormir, pero dado lo temprano del día,
la carpita se calentó enseguida con el sol que se mantenía
muy alto.

Para que esta situación fuera un descanso agradable,
faltaban los incontables menús que íbamos imaginando en
estas horas neutrales. Surgían milanesas, empanadas, cane-
lones regados con abundante cerveza, coca-cola y helados.
Cada uno de nosotros prefería estar en esos momentos en
lugares distintos, lejos de toda esa incomodidad: Martín
quería estar en el mar, por ejemplo, Punta del Este; yo hubiera elegido una playa del Caribe y comer cocos. En momentos como éstos se valoran realmente las comodidades
de la civilización o, sin ir más lejos, simplemente las de
nuestro campamento base, bien surtido en comidas y demás elementos.

Cuando el frío comenzaba a hacerse sentir, antes de quedarnos a sufrirlo, decidimos irnos, partir, realizar la ascensión con independencia de la hora. Los cubrebotas parecían haberse convertido en cajones de fruta, la soga estaba hecha un bollo, congelada y dura, como una cañería vieja y retorcida. El sol se había puesto; por tanto, tardamos bastante en estar listos para iniciar la corta travesía hacia el este. Una línea rojiza quedaba como recuerdo en el horizonte. No sentí la hora, poco importaba; sólo quería entrar en calor y abreviar la distancia que nos separaba de la cumbre. Inmediatamente retomamos el ritmo. Ya no era la excesiva lentitud de antes sino un paso ágil y veloz; no había humedad que conservar y estábamos suficientemente repuestos como para imponernos otra marcha. El cielo se había convertido en una masa índigo profundo haciendo reverberar los glaciares con una tonalidad azulada pocas veces vista. No había sombras ni medios tonos y algunas estrellas flotaban por sobre los filos. Tomé conciencia de que lo que estábamos viendo era algo único y que poca gente podría apreciarlo; sentí que contemplábamos paisajes privilegiados y esto justificaba nuestra presencia en esas circunstancias.

El frío, no obstante la caminata, se hacía insoportable. Se filtraba como algo líquido a través de la ropa. Martín daba señales de un serio cansancio, lo que hacía *ralentizar* más nuestro ritmo.

¡Quiero llegar, quiero volver, quiero salir de todo esto!

Mi mente daba vueltas repitiendo este *ritornello*. Mis pies comenzaron a insensibilizarse teniendo que patearlos de continuo para hacerlos reaccionar. La intensidad del frío me permitió advertir los sutiles cambios del terreno: cuándo se trataba de nieve, cuándo de hielo, cuándo el grampón estaba en el aire. Me asusté bastante al notar cómo pasaban las horas. Traté de acelerar la ascensión; Martín no podía más, estaba en los límites de su resistencia. *¡Please, Martín, ánimo, que falta poco!*, grité. De algún modo, reaccionó y consiguió mantenerse caminando. A veces me pedía parar y descansar unos minutos, pero le expliqué que era imposible, porque a esa altura estábamos en juego nosotros mismos, no la cumbre: en caso de detenernos en esta coyuntura nunca más podríamos recomenzar el movimiento.

Yo seguía con los pies insensibles, volvía a golpearlos, a saltar, a patear, pero todo era inútil. Estábamos en las horas más frías del día, en los instantes previos a la salida del sol. Para colmo soplaba una brisa que no dejaba de influir en el ambiente. La cumbre estaba allí, muy cerca, atrás de unas últimas grietas con sus puentes que comenzaban a aparecer.

Un espectáculo inédito

A pesar del estado en que me sentía, no dejó de impresionarme la combinación de esos colores, la presencia de esas montañas y sus paredes, las dimensiones de esas cornisas y los filos que ya veíamos descender hacia los valles, unos, y hasta el mar, los más extensos.

Dominábamos toda la isla; la niebla había recubierto las bahías y se extendía por el océano. *¡Madre, esto es increíble!* Entonces, advertí como una explosión; mis pies me llamaron a la realidad, súbitamente un dolor insoportable me atenazó las piernas haciéndome detener fulminado; sabía lo que ello significaba -recordé a los franceses en su primera ascensión a la pared sur del Aconcagua y la amputación de sus dedos- y, a pesar de que el dolor era insoportable, no desapareció la alegría del momento que estábamos viviendo. Mis sutiles lamentos se convirtieron en quejas y Martín corrió alarmado; a los pocos minutos cesaban las convulsiones y un calor incipiente invadió lentamente mis pies olvidados, a la vez que todo tomaba otro color, coincidiendo con la salida de nuestro tan esperado sol. La impaciencia ya no me dominaba y pude razonar con más equilibrio.

Retomé las reglas de seguridad y animé más sosegadamente a Martín, que estaba pálido de cansancio y con la mirada extraviada. No por esto interrumpimos nuestra marcha. En cierto momento, la escena se incendió y comenzó a relucir con luz distinta, con diferentes matices de intensidad.

La cumbre apareció inesperadamente

La cumbre, la tan lejana cúspide, nos dio acceso ceremoniosamente. Un enorme lomo confundía sus líneas y las hacía difusas por la hora. Era como si se dispersara y se nos hiciera intangible a nosotros mismos.

No tomé conciencia de que era la cumbre, sino de que se trataba simplemente del final de un gran esfuerzo. Supongo que no había nada de poesía en ello, nada romántico, pero lo cierto es que así fueron las cosas. A veces los elementos nos superan de tal forma que nos llevan a experimentar nuestra pequeñez, y nos hacen palpar que son el viento, el frío y el hielo, los únicos y eternos dueños de la situación. El hecho de que el ser humano en algún momento pueda advertir esto, no es más que una oportunidad que la naturaleza le brinda. No todas las cumbres tienen esta cualidad, pero la del Francés la tuvo.

Estábamos en uno de los techos de la Antártida, con todo un continente virgen a nuestros pies. Inaugurábamos una nueva era: la del andinismo en la Antártida. Sólo dos meses antes, en diciembre de 1966, unos norteamericanos habían llegado en avión al polo, y escalado la cima del Vinson (5.140 metros) -el pico más elevado del continente Antártico- y así como llegaron, partieron de vuelta.

A Martín le pesaba enormemente la piqueta; sacar fotos representaba un verdadero esfuerzo, así y todo tomé algunas, automáticamente. Intenté filmar, pero la cámara acarreada hasta allí con tanto trabajo se negó a funcionar; la cuerda se había congelado, sólo tocar los metales quemaba las manos.

La acostumbrada niebla había vuelto a cubrir el mar, negándonos un espectáculo que nos hubiera gustado mucho contemplar. Únicamente en pequeñas zonas se dejaba traslucir como un gran agujero negro entre lo claro de las nubes.

Estábamos contentos. Intuyo que sentíamos alivio. Se trataba de la concreción -que resultó más grande de lo calculado- de algo que deseábamos hacer con todas nuestras fuerzas. Evidentemente, además de muchas otras cosas, nos quedó la satisfacción de haber dominado, en cierto modo, a los elementos poderosos de la naturaleza.

A las seis de la mañana del día 5 de febrero de 1967 dos hombres comenzaban su reingreso a lo permanente, a su vida corriente. Al llegar al campamento base, Ismael, Jorge y Alfredo ya habían regresado de su exitosa ascensión al Elevado.

Un final feliz

El 17 de febrero vimos aproximarse el rompehielos General San Martín. El recibimiento fue de lo más cálido, con bombos y platillos. Por la noche tuvimos un agasajo. Al final, nos reunimos los cinco en cubierta. Era como si quisiéramos grabar en nuestra memoria, para siempre, aquellas imágenes que, muy probablemente, no volveríamos a contemplar: aquel crepúsculo con tinte rojizo, aquellos témpanos que proyectaban largas sombras y, sobre todo, allá, a lo lejos, aquellas blanquísimas montañas de las que nos despedíamos para siempre, con la nostalgia de un amigo que ha compartido con ellas, penurias y alegrías imposibles de borrar.

XIV. EL CAPITÁN: UNA ESCALADA PECULIAR

Escalar una pared por primera vez en general viene acompañado de una sensación de inseguridad. Es verdad que ya he hecho varias, pero nunca sé cómo será la que tengo delante de mí. Cada una ocupa un lugar especial y diferente de las anteriores experiencias. Pero un escalador va evolucionando y, al hacerlo, va serenando un tanto ese nerviosismo inicial de las anteriores escaladas. Esta procesión interna es algo que siempre está presente en los momentos previos a una gran escalada.

El Capitán -único en la vida de un trepador- es completamente diferente de las demás montañas. Para el que está acostumbrado a las grandes ascensiones en enormes paredes, esto es un jardín, unas vacaciones para el espíritu y el físico. Psicológicamente nos encontramos protegidos de todos los elementos que componen la alta montaña.

Enclavado en el Parque Nacional de Yosemite, Estados Unidos, goza de un clima típicamente californiano: estable, soleado, paradisíaco, algo fundamental para la tranquilidad de una escalada. Contar con un incondicional buen tiempo convierte todo en una experiencia previsible y humanamente realizable. Es el lugar para planificar una escalada con factores controlables por la técnica y la mente. En las grandes montañas esto no sucede nunca: existe siempre el imponderable que cubre un noventa por ciento de los planes. Por lo tanto, nada es infalible; qué poco seguro se siente uno, qué casual resulta todo. En cambio, en El Capitán uno mismo, y nadie más, es quien puede interferir en los planes e ilusior.es. Se siente que se cumplirá un plan, que hay una técnica para aplicar y ordenadamente se irá desarrollando. El retorno sólo se reduce a subirse a un automóvil y emprender el regreso. No se va a ninguna parte; sólo se escala.

Diría que es casi el estado antropomorfo de la escalada; un individuo que por unos cuantos días no hace otra cosa que escalar por el solo hecho de subir, sin llegar a ninguna parte, sin cumbre por vencer, sin motivos para descender.

Días atrás habíamos escalado en diferentes paredes; aquéllas donde el valle se clausuraba. Rutas que sirvieron para tomar confianza en las condiciones, calidades y fisuras de la roca. Una de ellas resultó particularmente *graciosa*. Luego de una serie de largos, ya bien alto en la pared, se debía atravesar el tope de un diedro montado en un tronco seco de unos diez metros de largo. ¡Y lo interesante es que se movía sobre un vacío sin protección!

Abundan los relevos encaramados en árboles que nacen de entre las fisuras de las rocas, increíblemente fuertes y grandes en razón de las raíces que perforan la piedra en busca de humedad y sustentación. También abundan, desgraciadamente, las hormigas, que convierten algunos relevos en momentos realmente atroces, pues uno no se puede mover ni abandonar el lugar, hasta tanto no llegue el compañero. La técnica, el escenario y los elementos hacen de todo: este valle es algo único.

Un revolucionario sistema de escalada

Por otro lado, está el sistema que han desarrollado los escaladores de este lugar. Sería, para mí, decididamente revolucionario si se pudiera aplicar a las grandes montañas. El sistema, creo, se desprenderá del relato mismo de la ascensión.

Un día del mes de mayo comenzaron los preparativos de la escalada. Una vez comprados todos los comestibles y elementos en San Francisco, había que seleccionarlos y embutir dentro del saco (bolso marinero), que habríamos de arrastrar como parte de nuestra anatomía a lo largo de la pared.

Indudablemente, lo más importante era el agua; los días se sucedían más y más calurosos haciéndonos pensar que para el término de nuestra salida de la pared, iban a ser realmente insoportables. Comencé a coleccionar bidones y a llenarlos con agua. Debían ser herméticos y casi cerrados al vacío. Para ver si perdían las botellas, me paraba encima de ellas: al menor síntoma de pérdida las desechaba, las cambiaba por otras. Creo que almacenamos unos dieciocho o veinte litros en diferentes tamaños de botellas. Personalmente prefería las pequeñas, pues si se rompían, sólo se perderían unos litros y no todo el contenido como había ocurrido en la cordada francesa. Al segundo día de escalada, después de los péndulos, el bidón que arrastraban había comenzado a perder. Al final, les quedaron únicamente ocho litros para los ocho días siguientes. En consecuencia estuvieron muy cerca de morirse y todo por un error en la preparación.

Luego venían los sólidos, que consistían en toda clase de exquisiteces: dulces y salados (los menos). Si bien todo iba dirigido al menor consumo de agua, puse, no obstante, algunas sardinas, que resultaron de excepcionales resultados, atún y algo de queso; este último fracasó totalmente.

La importancia de la preparación de la mochila

Cada vez que preparo la mochila o el saco para una gran ascensión, siento que estos momentos son los más importantes para que el éxito sea seguro. Supongo que es lo que prevalece más allá de la técnica; son estas cosas las que hacen la diferencia entre un buen trepador y uno no tanto.

Para la selección de clavos, me asesoré con un tal Loga, que había repetido la escalada diez días atrás. Resultó perfecta en número y medidas. Y aquí viene algo para los escaladores de este valle: son como computadoras, dada la forma en que memorizan cada una de las mil rutas diferentes de esta región. Recitan centímetro por centímetro los largos de soga necesarios, describiendo las dificultades y los tipos de clavos que han de usarse.

Son el reflejo fiel de la realidad del país: especialización, organización, precisión. Esto lo comprobé durante la escalada; de las 178 medidas diferentes de clavos, no hubo ni uno de más ni uno de menos. Todos correspondían exactamente a las necesidades de las fisuras. Esto sería lógico en una ruta de 20 clavos, pero no en una ruta de 700 como ésta.

Increíble, pero cierto. Me intrigó saber cuáles serían los resultados de esta gente en la alta montaña. Se desprende en esta concepción, que montaña es símbolo de matemáticas, y con esto quiero decir, ausencia de espíritu y personalidad.

Este estado de cosas se puede advertir en las conversaciones entre la masa de escaladores. Todo se reduce a número de pies, dificultades y clavos: no se les nota una esencia creadora de nuevas rutas en nuevos escenarios, en verdaderas montañas. Aquí la gente trepa por ese solo hecho, por el placer físico de la escalada; el ánimo está puesto en los números, nadie tiene un objetivo, una cumbre en su mente.

Una estandarización del montañismo

Los que realizan nuevas ascensiones son siempre los mismos nombres, que podríamos contar con los dedos de una mano: Chouinard, Frost, Robins y algunos otros. Considerando que la población es inmensa, la producción resulta paupérrima.

Se me ocurre que esto está pasando también en los Alpes: una especie de estandarización del deporte. Ya no surgen cordadas alucinantes (con relación a no muchos años atrás), cuando de veinte trepadores salían dos excepcionales; ahora, de miles, surgen unos pocos.

Sigo con el relato. Luego de haber preparado de la mejor manera posible todos los elementos, el asunto era moverlos. Mi caso era patético: 1,20 m de alto por suficientes centímetros de ancho y 40 kilos de peso que se anunciaban demoledores. Secretamente me prometía que, de poder mover el artefacto, le pondría algunas velas a la Virgen del Carmen.

Nos fuimos a la Dirección del Parque para anunciar nuestra intención de escalar la pared pues, es necesario pedir un permiso especial para subirla y luego descender a la base de la ruta.

Mi intención era comenzar a la mañana del día siguiente, bien temprano, pero eso no fue posible porque otra cordada se nos había adelantado. Esa noche llovió y el equipo que nos precedía con una mala noche en la pared, amaneció mojado y sin ánimo para continuar; seguramente no habrían ganado demasiada altura, y la bajada les resultaría tentadora. De este modo nos acompañó la suerte, pues, en efecto, a la mañana siguiente, cuando comenzamos nosotros el ascenso, ellos descendían dejándonos la ruta libre.

El momento de la partida

Empecé el artificial de las primeras fisuras: traté de organizarme desde el comienzo. Toda la artillería que pendía a mi alrededor eran 40 clavos y 40 mosquetones, estribos, *loops,* martillos. El segundo acarreaba el resto de los clavos (65 en total); esto era el abecé de la ascensión. En los próximos cinco días estaríamos usándolos constantemente, y sería con ellos que ganaríamos o perderíamos tiempo y energías. Me proponía que cada movimiento fuera de la mayor precisión posible: seleccionar los clavos, mosquetones y estribos a la medida exacta de la fisura.

Quería hacer de esto un mecanismo afinado. Nunca antes había trepado con tanta cantidad de cosas y puramente artificial por tanto tiempo, y era lógico que me encontrara un poco desorientado con toda esa *ferretería.*

Las fisuras resultaron excelentes y la roca muy sana. Pronto encontré un verdadero placer en la escalada; la mañana era fresca y el sol no había comenzado a mortificar todavía a la plataforma del relevo cuando me puse a instalar el sistema para izar el bolso. Mientras tanto, Rick limpiaría los clavos.

Con este sistema no se perdía casi nada de tiempo: mientras uno escalaba usando los jumars en la soga de seguridad que está fija, el otro transpiraba elevando la bolsa. Cuando el segundo llegaba donde estaba el primero, entonces todo estaba listo para continuar con el largo siguiente.

Una vez instalado el mecanismo, comencé a izar la mochila y, ¡oh sorpresa!, no era tan difícil como pensábamos; el saco se elevaba lenta, pero persistentemente.

El sol comenzó a inundar el valle mientras Rick continuaba con la escalada: un pequeño diedro y luego un péndulo hacia la derecha. Todo se desarrollaba en artificial un clavo tras otro. El cromo molibdeno -material con que están hecho los clavos- era bien diferente del normal que utilizaban las fábricas europeas; por eso sonaba distinto. Tomaba su tiempo acostumbrarse a adivinar si un clavo estaba bien puesto o no, y extraerlos requería una técnica especial. Al ser tan elásticos tenían un punto en el que, si se desconocía, se corría el riesgo de que el clavo cayera de la fisura, con la consiguiente pérdida y malhumor.

Mi preocupación eran las nuevas cuñas de aluminio que íbamos a usar; al golpearlas siempre sonaban a hueco y, al parecer, no se amoldaban a las fisuras, haciendo muy difícil confiar el peso en ellas. Veríamos cómo se portaban cuando llegara el momento.

La carretera allí abajo comenzaba a tomar vida junto con la luz; revivía todo el valle y hasta el río parecía ganar impulso entre sus cascadas y bosques. Bocinas y voces se escuchaban con toda claridad en esa mañana sin viento y absolutamente clara.

Final del ciclo de operaciones

El tercer largo era considerado el más difícil de la escalada. Estuve dudando un largo rato, hasta pensaba que nos habíamos equivocado de fisura. Desde donde estaba no veía cómo podíamos continuar. Al parecer la plataforma estaba muy cerca. Probé algunos *blades* que no resistieron. Traté de trabajar con algunos más anchos, que tampoco se querían quedar, hasta que di con la tecla: una cuña de dos y medio podía atar con un *loop* y ponerme atravesado en el borde de la laja rota. Era la única posibilidad, y resistió. Tercer largo terminado.

Se repitieron las mismas operaciones, fijé la ropa y comencé con el bolso. Nos quedaba un largo más para llegar al *Circle Ledge*, primera gran plataforma en la pared. Para ese entonces sería mediodía. A la una llegamos al *Circle*, y sin prisa gozamos del paisaje; los árboles eran nuestro punto de referencia. Por el tamaño, deducíamos lo alto que estábamos. No había cumbres a nuestra altura por las cuales guiarse.

Transportamos el material hasta el comienzo de las siguientes fisuras, lo ordenamos y lo dejamos listo para el día siguiente que comenzaríamos la ascensión sin descender al valle. Una serie de *rappeles* nos dejaron sin mayores comentarios en la base de la muralla.

Yosemite está, evidentemente, saturado de turistas, pero no por eso los animales salvajes dejan de abundar; es más, creo que cuanta más civilización hay, más posibilidad existe de encontrarlos. En el Amazonas o en las selvas norteñas sólo he podido tener unas fugaces visiones de algún antílope o tapir, pero en este parque no pasa un día sin que se vea un ciervo, ardillas y hasta el tenebroso oso.

¡Ojo! Ahora no hay retorno

Se continuaban los diferentes largos y había que pensar cuidadosamente cada maniobra, pues ahora no había retorno. Los péndulos nos habían incomunicado con la base de la pared y no dejaba de sentir algo como una liberación muy esperada; éramos nosotros solos y nadie más. Dependíamos de nuestras fuerzas y de nuestros espíritus. Esto se presentaba, en ese momento, bien saludable. Luego de tantos días vegetando en el valle con multitudes alrededor, el haber traspuesto esos sutiles péndulos era como ser lanzados a un espacio ausente de problemas humanos. También significaba empezar una nueva vida en un mundo diferente, con complicaciones más genuinas que a nivel urbano: la gravedad, la verticalidad y la supervivencia. Habíamos notado una transformación casi física en cada uno de nosotros. Algo más reconcentrados o expansivos según el momento, más sinceros con todo lo externo; en una palabra, auténticos.

El granito era maravilloso y la temperatura, ideal, pues comenzaba a soplar una brisa del oeste. Esto evitaría consumir demasiado líquido y así podríamos comer para recuperar energías.

El tercero de cordada

Por medio del balanceo, alcancé con facilidad una fisura a la derecha; la exposición era total, la pared debajo, cóncava y escapaba en forma vertiginosa hasta confundirse con árboles, 300 metros más abajo. Los trámites eran lentos; Rick tenía que subir limpiando el largo, descender nuevamente mientras yo luchaba izando la bolsa, que se había transformado en el tercero de la cordada; un tercero que no hablaba, ni trepaba, ni ayudaba, solamente aportaba un gran peso. Rick estaba un poco impresionado por la exposición.

Siempre he tenido algo de fastidio a las guías de montaña; entiendo que roban el placer de adivinar, descubrir y manejarse instintivamente con ese olfato que hay que desarrollar en una montaña. Tampoco en esta oportunidad las consulté y, ante dos fisuras al parecer iguales, me decidí por la derecha.

La caída al vacío

Avisé repetidas veces a Rick que era una cuña peligrosa

y, con mucho tacto, puse el peso en el estribo; no sucedió nada. Me elevé un poco sobre el segundo escalón e inmediatamente me encontré volando en dirección al diedro por donde había subido. Es increíble todo lo que se piensa en esos segundos. Primero, al ver que seguía bajando, pensé que Rick estaría tomando fotografías, pero se había sorprendido con mi caída; luego, al ver que no paraba, me abandoné a mi suerte con una tranquilidad que, considerándolo fríamente, ahora es difícil de concebir.

Escuché algunos sonidos que indicaban que los clavos iban saltando y, por fin, luego de quince metros, sentí la presión de la soga en mi cintura y frené casi dulcemente. No sucedió nada; la caída había sido limpia por la verticalidad de la pared, ni un rasguño, ni una herida. Rick se había quemado algo la mano, pero al parecer nada serio. Enfurecido por esta pérdida de tiempo, rehice mi camino; no quería darle tiempo al *shock* para que nos tirase abajo la moral y la confianza. Nos quedaban pocas horas de luz, y esto aceleraba el artificial.

El primer vivac en la pared

Eran las ocho de la noche cuando nos reunimos en la chimenea; Rick continuaba el siguiente largo, dejándolo fijo para el próximo día. Luego, yo organicé lo mejor posible nuestro primer vivac en la pared. Comencé abriendo algunas latas de jugo que pronto desaparecieron; apagada nuestra sed, nos concentramos en colgar nuestras anatomías de la mejor manera para pasar la noche. No hacía nada de frío y el viento había cesado completamente.

Mi hamaca estaba bien a mano dentro del bolso, pero la de Rick estaría en alguna parte del fondo. Era tan complicado sacarla, que prefirió permanecer sobre los estribos; me parece que no lo consiguió muy bien, pues toda la santa noche tuve un zapato pisándome las orejas.

El cielo, tan brillante durante el día, por la noche no podía ser más oscuro en el hemisferio norte. La ausencia de la vía láctea y demás constelaciones hacía del firmamento un papel carbónico casi total.

El balance de la ascensión tenía visos de resultar positivo; si bien habíamos cometido algunas equivocaciones, daba la impresión de que se desarrollaría con normalidad. Me sorprendí pensando en que las condiciones atmosféricas no contaban; simplemente las ignoraba, como jamás lo había hecho en otra oportunidad.

Entre cabeceo y cabeceo, la noche transcurrió en forma normal. Cuando vislumbramos las primeras claridades, comenzamos a movernos. El verde de los bosques hacía resaltar más la claridad del granito; muchas veces el verdadero color supera la fantasía.

Por lo general, comenzar a trepar después de un vivac en montaña es uno de los momentos más difíciles de la escalada. Entumecidos por el frío, la mala posición, la falta de sueño y, algo que es habitual, el poco alimento, la partida es un verdadero calvario. Pero aquella vez no fue así. La temperatura, relativamente templada, hizo de ese momento uno más de la ascensión.

La verticalidad era absoluta y contribuyó a que sintiera con más intensidad el vuelo de unos pájaros diminutos. Zumbaban a velocidades fantásticas tan cerca nuestro que casi rozaban nuestros cuerpos y luego los veíamos caer. Un objeto que cae en el vacío provoca una sensación de precariedad y demuestra lo inestable de la situación. Por esto existe la tradición de no tirar las piedras flojas que se encuentran en la ascensión; y no es por el peligro de las avalanchas.

En una de las fisuras nos encontramos con algo inesperado: un sapo del tamaño de una nuez asomaba un ojo asombrado entre los bordes de un bloque. Esto confirmó algo que había notado unos metros más abajo: mientras trepaba, de la fisura de un diedro expuesto al sol, emanaba una ola de frescura. Era como si la montaña, muerta hasta ese momento, cobrara vida y comenzara a respirar. Pensé que una vena de agua corría muy profundamente en su *organismo*, y este sapito, por su tamaño, podía sobrevivir en estas condiciones aparentemente áridas.

Norh American Wall

La pared de El Capitán parecía repetir la geografía del país; a nuestra derecha y a unos 500 metros, se desarrollaba un enorme mapa de los Estados Unidos. En la pared casi extraplomada, una gran mancha oscura (1.800 metros cuadrados) es la fiel copia del relieve de Norteamérica; por eso la llaman *North American Wall*.

Los cuatro mejores trepadores del país, Tom Frost, Ivon Chouinard, Royal Bobbins y Chuck Pratt, forzaron una ruta en esta pared, y dieron lugar a una de las grandes primeras escaladas en este valle.

La carretera parecía ahora una cinta de plata que se perdía entre los bosques, muy abajo. Día a día fue empequeñeciéndose, encogiéndose entre sus propios bordes. Los autos no eran más que puntos y colores, sin sonido. Por las noches parecían luciérnagas navegando en la oscuridad.

En la madrugada del tercer día, nos despertamos junto con el lucero. Rick comenzó con la chimenea de Texas; estábamos a mitad de la muralla, todo escapaba en 90 grados. Era como transitar en un océano petrificado en la vertical. Los grandes extraplomos formaban olas enormes que cubrían la salida en la pared; algunos remansos iban a morir en otro océano: en el verde de los bosques.

El relevo era bastante incómodo, a caballo sobre el borde y con un clavo muy bajo para asegurar todo. Este largo bien podría llamarse *de los ángeles*: podía ver entre los pies 600 metros de pared completamente vertical; no se percibía ningún sonido, sólo el clic de los mosquetones. Como los estribos son de nailon, no se oían, aumentaban la sensación de estar suspendidos en el espacio. Era como volar en un planeador con el único murmullo del viento en las alas.

En un cierto momento faltaba un clavo entre otros dos, y

no podía alcanzar el siguiente. En ese instante adiviné una especie de ranura que podría servir para colocar un minúsculo clavo a 5 milímetros de largo y uno de espesor. Con su ayuda, arribé al siguiente clavo. El lugar era bastante cómodo para iniciar una serie de péndulos que había que efectuar para alcanzar los bloques a nuestra izquierda. El siguiente largo era muy peligroso, por los bloques sueltos.

Las fisuras continuaban siendo excelentes, pero lo inestable de las rocas nos robaba tranquilidad de espíritu. Sólo nos quedaba por efectuar un último péndulo, y esto me alegraba, pues habían comenzado a cansarme; perdía altura y el ritmo de la ascensión.

El cuarto día comenzó con una diagonal ascendente muy sencilla, que nos dejaba en el comienzo de la larga fisura que recorría el gran techo triangular. Casi al empezar perdimos una hora, pues la bolsa se atascó antes de llegar al relevo. Rick se olvidó de atarse mientras yo izaba la soga de seguridad; por suerte me di cuenta cuando estaba sólo unos metros por encima de él.

La caída del bloque

Ya a mitad de camino, colocando un clavo detrás de un bloque, noté que sonaba demasiado a hueco para que resistiera; inmediatamente suspendí el golpeteo, pero era tarde. Vi que se separaba de la pared y comenzaba a caer. Por suerte estaba algo a mi derecha y no cayó encima mío, pero pensé en Rick allí debajo. Le grité y se corrió justo cuando pasaba a su lado. Seguimos gritando, pues sabíamos que en la base de la pared había gente.

Mientras tanto el bloque se fraccionó, explotando en todas direcciones a medida que caía, haciendo imposible que no golpeara a nadie allí abajo. Esperamos unos minutos hasta que contestaron con gritos que no había pasado nada. Luego nos enteramos de que uno de los bloques golpeó a 30 centímetros de la cabeza de Tompkins, miembro del equipo de filmación.

Repuestos del susto, continué con la fisura, el largo más lindo de la escalada; bien suspendido en la vertical y con clavos que suenan firmes. A mi derecha adiviné el relevo, marcado con otros clavos de expansión; no era muy cómodo, pero sí bastante seguro.

Continuamos. Todo ese día se desarrollaba en 90 grados, pero con fantásticas fisuras, y esto hacía de la escalada un verdadero placer. Diedros, lajas, chimeneas, una sinfonía de roca que nos llevaba poco a poco al lugar de nuestro cuarto y último vivac.

Calculé que para el día siguiente a las cuatro podríamos salir de la pared. Sentía arder las manos, hinchadas y lastimadas, por el continuo roce con el granito; las palmas eran como cuero y las yemas, lisas, sin impresiones digitales.

Presentía el fin de la escalada y me sentía más tranquilo. Teníamos suficiente agua y muchos comestibles, no había ningún motivo para alarmarse. Todo sucedía normalmente. Me sentía feliz, muy satisfecho; me preocupaba por mantener las cosas en este estado, sin improvisar ni cometer errores. Trataba de que cada clavo que colocaba fuera el mejor, reduciendo así el peligro de caída. Entonces comprendí por qué hay tantos escaladores de California que han sufrido caídas tan a menudo.

En doce años de carrera andinística no había sufrido un solo centímetro de caída, y en El Capitán, luego de unos días de trepar, sucedió la primera. No quería más.

Un cuarto vivac muy aprovechado

Eran las siete cuando nos reunimos en el campamento seis, nuestro cuarto vivac. Estábamos famélicos, comimos sardinas que nos parecieron exquisitas, atún, *leberwurst*, en fin… todo lo que no habíamos tocado en días anteriores, por temor a la falta de agua. Ahora que estábamos seguros del final, nos permitíamos relajar la disciplina. Conservamos tres litros de agua y el resto lo tomamos con un placer inimaginable.

Quinto y último día. Estábamos un tanto impacientes por terminar esta escalada, no por encontrarnos hartos de ella, sino por el deseo de beber, bañarnos y recobrar, en una palabra, la condición de humanos.

Pensaba que a esta altura de los acontecimientos, tanto nos daría un día como una semana más de escalamiento: nuestro físico estaba adaptado pero, en la mente, la cuestión es diferente. Las antiguas costumbres reviven en la memoria y uno es esclavo de ellas. Anhelábamos ese retorno y saboreábamos de antemano los pequeños placeres: las flores, el río, la gente, su música.

Paralelamente, trataba de controlar mi nerviosismo, tranquilizar en algo esas ansias de dar por terminada la aventura. Las fisuras continuaban entregándonos sistemáticamente la salida de esta pared. A medida que ascendíamos, observaba algunas plantas que indicaban que la meseta estaba próxima.

Todo se humanizaba en forma imperceptible, era como si la vida se infiltrara lentamente en nuestro escenario, sin sorprender, sin alarmar, como dosificando su presencia para que estos dos seres que estuvieron ausentes por algunos días del mundo de lo orgánico, de lo vivo, de lo normal, no se espantaran.

La escalada había finalizado. Fue un 5 de junio de 1968 a las cuatro de la tarde.

XV. POINCENOT PARED SUR

Para comenzar la escalada de la pared sur del Poincenot había que atravesar un río torrentoso. Una vez instalado el campamento base, surgió la idea de llegar al otro lado del río fabricando un puente o algo que se le pareciera. Pensamos en una larga soga de cáñamo que, puesta en doble, nos permitiría cruzarlo, si bien con ciertas dificultades; siempre sería más seguro que hacerlo a nado.

Alfredo inició el cruce del río

Era el 23 de diciembre de 1968. Cruzar ese río suponía llegar al glaciar mucho antes y al parecer con mayor facilidad. Conocía la margen derecha y buscaba el modo de evitar ese mare mágnum de rocas, bloques inestables, subidas y bajadas. Al observar la margen izquierda se adivinaba un terreno más parejo que nos dejaría en una mejor sección del glaciar por el que se accedía al Poincenot. Alfredo Rosasco, mi compañero, más liviano que yo, realizó el primer cruce; luego le tocaba el turno a las mochilas, mientras yo verificaba los tensores que permitían elevar el andamiaje con la soga a unos dos metros por encima de la corriente. Después seguí yo.

Reanudamos nuestro paso después de batallar con los caballos y las cargas a depositar en el campamento base. Habíamos recorrido cientos de kilómetros... pero todo quedaba atrás. Ahora teníamos que enfrentarnos con una pared que desde el año anterior había quedado fija en mis aspiraciones de escalarla. Eran los mil doscientos metros de la cara sur del cerro Poincenot. Este pico, el más próximo al Fitz Roy, es un espléndido satélite. Sus tres mil ochenta metros habían sido ascendidos, hacía ya muchos años, por una expedición irlandesa bajo el comando de Don Williams. Por tratarse de la primera, la vía de ascensión fue la más practicable del cerro: la pared este. Una serie de rampas de nieve, que se continuaban con bloques fracturados, depositaron a los primeros escaladores, luego de 30 horas de rápida ascensión, en la cumbre.

Comparable con la de la pared oeste del Dru

Nuestra idea era tentar unos enormes diedros que miran al valle del Torre. Observada atentamente, esta pared representaba una subida en sólido granito, con un desarrollo suficiente como para emplear varios días en su resolución, y dificultades para hacer uso de la técnica del más alto nivel. Algo comparable con la pared oeste del Drus (Alpes franceses), que tiene su fama bien ganada. Más tarde coincidiríamos en que superaba todos los cálculos aventurados en un primer momento.

Ajustamos nuestro andar a la mochila, no muy pesada, y a los tábanos; con la llegada de un tiempo cálido se encarnizaban con nuestro pellejo tras varios días de forzosa abstinencia por falta de escaladores.

He visitado tanto esta región, tengo tan incorporados los detalles de este paisaje, que me parece una obviedad describirlo; pero si no lo hago peco de indiferente. El valle en cuya entrada nos situamos es el del cerro Torre, que corre con ligeras variaciones de sur a norte.

El valle del Torre: las cumbres más espectaculares del globo

La primera a la izquierda es el Grande, cuya novia, el Adela, le sigue hacia el norte; ella bien blanca y *englaciada* se engarza por elegantes filos con su compañero, el cerro Torre, un poco solo y retirado. Los picos de enfrente son todos los célibes: el Techado Negro, el Mojón Rojo, el Saint Exupéry (excepción al conjunto en cuanto al celibato), la Sin Nombre y el Poincenot, formando todos juntos una fantástica arquitectura gótica. Al volver por el otro margen del valle, encabeza el desfile el cerro Torre para el cual no existe adjetivo que lo califique. Como su nombre lo indica, una montaña (por sus dimensiones pero con forma de torre) que emerge en puro granito buscando la altura, sin perder su elegancia y sus líneas. La cumbre, ya en el cielo, mimetiza su aspecto al construir gigantescos hongos de hielo que se confunden con las nubes. Este pico dio origen a una epopeya del alpinismo en los Andes, a la que no le faltaron algunos hechos trágicos. El tema fue determinar quién y en qué fecha había llegado primero a la cumbre. Las opiniones son controvertidas. Pasaron muchos años y nadie llegó a la cima. En el verano de 1967 junto con un grupo inglés habíamos intentado seriamente ascenderlo, pero sólo encontramos el fracaso, a causa de una cantidad de errores que aprendimos a reconocer para no repetir en el futuro. Animado por esa lección, estaba ya avanzando hacia el Poincenot, con una visión diferente de la técnica que se debe usar para atacar los grandes problemas en esta región.

Aspectos a tener en cuenta

Puedo sintetizarlos en algunos puntos esenciales. En primer lugar, que el grupo esté formado por la menor cantidad de personas posible para evitar el desplazamiento de material excesivo o inútil y para lograr una mayor movilidad. Además, con el fin de conservar un espíritu agresivo hacia el objetivo y para tomar decisiones con mayor prontitud; en caso de ser varios, siempre existe el *sí* o el *no*, los *quién sabe*, los *mañana* y todos los imponderables del choque de ideas que se desprenden de concepciones personales de cada uno de los integrantes de una expedición. Esto termina por hacer decaer el ánimo y la moral del grupo. Si se trata de dos personas, es imposible establecer campamentos intermedios entre la base y la pared por razones de peso, y esta circunstancia obliga a movilizarse con rapidez, ahorrando energías. Otro aspecto fundamental es la utilización integral de los pocos intervalos de buen tiempo que el clima del lugar concede.

Y para terminar, un punto de vista a considerar es la técnica y el material norteamericanos que aconsejan ir liviano, rápido y no poner sogas fijas.

La importancia de liberarse de las sogas fijas

Es notable cómo esta última técnica toma relevancia hasta el punto de hacer desmerecer notablemente una ascensión en su valor técnico. En la actualidad ya no se pregunta si una primera escalada ha sido difícil, puesto que eso se sobreentiende; se pregunta: ¿han puesto sogas fijas? Esto pude comprobarlo cuando ascendí en 1967, puesto que equipábamos con sogas fijas cada tramo de pocos metros que le ganábamos al Torre. Teniendo la retirada cubierta, uno se *aburguesa*, si vale el término aplicado a una ascensión. Psicológicamente se está seguro y cómodo y al menor percance, se echa mano al hilo de Ariadna y se retorna a la seguridad del campamento. En caso de no existir soga, se está obligado a continuar hacia arriba, superando dificultades y momentos cruciales. Sólo cuando la situación es insostenible uno se exige definitivamente bajar.

Es por todas estas razones que perdimos la cumbre el verano anterior; faltó ese *sprint* necesario para las grandes empresas.

Siguiendo con la descripción de las montañas, luego del Torre se levanta la Egger, espectacular montaña que nada tiene de fácil; es más, a mi criterio, ofrecería tantas o más dificultades que el Torre. Sólo que por estar algo disminuida por la presencia tan cercana de éste, pasa inadvertida a los ojos de los alpinistas. Le siguen la Standhart, la Bífida y la Cuatro Dedos, todas ubicadas como la cresta enorme de un gigantesco dragón. Las características son iguales en todas, formadas de granito de la mejor calidad y rematadas en su cumbre por gigantescos hongos de hielo, producto del continuo golpear del viento que trae la humedad de las nubes procedente del no muy lejano Pacífico. Dado el mal tiempo reinante en esa zona, estos hongos pueden subsistir en un equilibrio inestable, puesto que son alimentados en forma permanente por nuevos vientos y nevadas. En frente, el gigante Fitz Roy impone orden y respeto en este reinado.

Si El Hombre Sentado hablara...

A su izquierda no se origina una montaña sino una curiosa formación que se llama El Hombre Sentado. En el extremo y sobre un filo bastante quebrado, una forma humana parece observar el valle. Es tanto el parecido a un hombre sentado, que nadie puede dejar de sentir la presencia de la extraña formación como algo con existencia real. Si pudiera, conversaría con esa figura y le pediría que relatara todo lo que ha visto desde su privilegiada posición. La actitud de reposo y, a la vez, de hombre observador trasunta toda la tragedia de la naturaleza que en tiempos apocalípticos construyó estos monumentos. Y adivino también que nos podría relatar la llegada de los hombres, ajenos a estos dominios, que por primera vez los invadieron. Del Conde Bonacossa, cuyo entusiasmo por los pesados grampones salidos de una fragua no iba parejo con los conocimientos de la metalurgia moderna y que intentó ascender al Fitz Roy el año 1936. De la insaciable cámara del padre De Agostini que con su avidez de imágenes imprimía en su película la Patagonia toda y en especial esta zona de belleza privilegiada. De Andreas Madsen, aquel Quijote de cansada figura, padre y pionero de todo cuanto se hizo en la región, cuando los mapas todavía la señalaban con su algodonosa mancha caligrafiada de *inexplorada*. De Standhart, veterano de la primera guerra que, cuando llegó con su destartalado cochecito, cayó enfermo para nunca más sanar. Su enfermedad era la Patagonia y el Fitz Roy, al cual adoraba y protegía como aquel artista que aprecia su obra recién descubierta. Su auto quedó allí, sobre tacos, y no regresaría jamás. Luego viene la etapa de los *modernos* innumerables grupos de escaladores que llegaban con espíritus aguerridos, técnica y materiales nuevos no para adorar estas moles, sino para dominarlas y vencerlas.

En 1952, los franceses abrieron el fuego escalando el Fitz Roy; después les sucedieron gente del Centro Andino Buenos Aires, ejecutando cumbres como el Marconi, Piergiorgio, Guillaumet, el mismo Fitz Roy que ascendí en 1965 con Carlos Comesaña, el Torre, las Adelas, en fin, todas aquellas cumbres que pusimos en la mira de nuestros anhelos e ilusiones. A su vez, los del Club Andino Bariloche empezaban a movilizarse hacia esos picos. En Córdoba también se dio un movimiento numeroso hacia el Fitz Roy en 1957, pero no consiguió llegar a la meta y tuvo que regresar. Ya para la década del sesenta, la Patagonia comenzó a llenar la mente y los anhelos de los andinistas de nuestras tierras.

Esta especie de invasión suena a profanación para un espíritu panteísta, si bien como andinista pienso que no hubiera existido esta belleza si la pluma del hombre no la hubiera descripto. Todos esos filos y todas esas cumbres habrían permanecido en la oscuridad de lo desconocido.

...Pero volvamos al Poincenot

Una cómoda morena nos llevó a la no tan confortable espesura del bosque. Tendríamos que atravesar unos tres mil metros para llegar a la sección de piedras grandes que nos depositarían en el glaciar. Allí quería arribar cuanto antes para evadirnos así de los tábanos. Era notable cómo año a año el clima había ido cambiando, arrastrando con él una alteración en la flora y en la fauna. Evidentemente uno de los síntomas más importantes en cuanto a la flora era el ascenso del índice de humedad que favorecía la proliferación de mosquitos, jejenes y otros insectos. Plantas que florecían anticipadamente y flores de colores raros, poco vistos en épocas anteriores. La dominante de los vientos correspondía siempre, sin excepción, al oeste y con buen tiempo, al sur. Sin embargo, en 1968 provenían también del norte y del este, creando nubes de formación decididamente tropical. Deduje que el cambio nos favorecería pues calculé que las tormentas no llegarían con la rapidez fulminante con que solían visitarnos y que los períodos de buen tiempo serían más largos y estables.

Ramas y árboles caídos dificultaban el avance y lo que podría ser un buen atajo se nos hacía lento y se iba el tiempo en continuos rodeos y pérdida de altura. Luego de dos horas pisamos el glaciar. Aquí respirábamos más tranquilos, pues su sólida superficie, limpia de nieve pero sucia por los escombros de las morenas laterales, nos permitía caminar con más comodidad. Como en todo camino nuevo, tuve mis dudas sobre qué orientación tomar. Observé en la mitad del valle, allí donde los glaciares del Torre y del Grande se juntaban, un caos de seracs producto de la fusión de estos dos colosos. Era una sección que teníamos que evitar. Recostados sobre la margen izquierda ascendimos rápidamente el suave declive. Un poco nerviosos por la pérdida de tiempo en el bosque, aceleramos el paso. Mi intención era alcanzar la base de la pared antes de que oscureciera; todavía faltaban unas cuatro horas de regular ascensión para arribar a ella. Antes de llegar al antiguo trayecto tropezamos con algunos inconvenientes, como una morena cuya existencia había olvidado y una zona de grietas que nos obligó a ponernos los grampones.

El antiguo depósito: un alto obligado

Hicimos un alto en el antiguo depósito casi obligado en todas las expediciones. Se trata de una gran piedra apoyada sobre el hielo; continuamente erosionado y con el constante movimiento del glaciar, originó una cueva debajo de ella. Allí podíamos encontrar un poco de historia sobre las expediciones que de continuo habían hecho uso de este abrigo. La protección es relativa según la época del año, pues depende de cómo esté orientada la entrada en relación a los remolinos del viento. Luego de algunos minutos de respiro cruzamos la morena que nos separaba de la margen derecha del valle; entonces quedamos debajo de los accesos al cerro Poincenot. Nos sentíamos en plena forma y con la moral muy alta. A esto contribuía el hecho de que habíamos estado el verano anterior y nos encontrábamos en terreno conocido; los cerros y sus dimensiones tomaban proporciones más humanas y no tan impresionantes como cuando los habíamos visto por primera vez. Nos sentíamos un poco *como en casa*. A las cuatro de la tarde llegamos a un antiguo campamento que estimamos era de Bonacossa, dado los grampones y clavos viejos que hallamos en el lugar. De allí el camino a seguir sería directamente hacia arriba, por el *couloir* que separa el Poincenot de la Sin Nombre. Nos permitimos un largo descanso pues ahora ya no dudábamos de llegar con falta de luz a la base de la pared.

Un futurible: un paraíso para los escaladores

Sentimos sobre nosotros las moles que representan el Fitz Roy y el Poincenot e imaginamos qué posibilidades tendrían estos parajes si el clima ayudara a los trepadores con prolongado buen tiempo. Cantidad de rutas en diedros, fisuras y monolitos cubrían una gama para la más afiebrada de las imaginaciones. Podría ser, sin duda alguna, el paraíso de los trepadores.

Con algunos caramelos en la boca reemprendimos la ascensión. Primero, por un acarreo y luego por una vía ascendente, conectamos con facilidad la parte nevada del *couloir*. Como en ese lugar ya estábamos suficientemente cerca del inicio de la ruta, decidimos acampar. No quería dejar de aprovechar un hilo de agua que corría en esta sección y que, en caso de continuar hacia arriba, podríamos perder. Improvisamos rápidamente una plataforma entre las piedras vecinas; nos sobró el tiempo para cocinar unas sopas.

En esos momentos, innumerables avalanchas de la vecina Adela ponían la nota atemorizante en el conjunto. Toneladas de hielo y piedras se desmoronaban por sus laderas. Estas avalanchas eran el síntoma de que la temperatura descendía confirmando una promisoria estabilidad en el tiempo. Cuando hace frío las rocas se contraen y su fractura provoca el consiguiente derrumbe; luego la montaña entra en un sopor que continúa durante toda la noche, inmovilizada por el frío. Despierta recién con la llegada de los primeros rayos de sol y allí comienza nuevamente el ciclo de caídas.

El espectáculo de las avalanchas

Contemplamos este espectáculo bien abrigados dentro de nuestras bolsas de dormir mientras hacíamos planes para el día siguiente, y luego de algún cansado comentario, dormimos plácidamente. Estaba todavía oscuro cuando iniciamos los preparativos del desayuno; aun en la bolsa, encendimos el gas que calentaría lentamente -el frío impide hacerlo rápido- una mezcla de chocolate con leche en polvo que habíamos traído para esta ocasión. El desayuno era doblemente importante pues durante el día habríamos de comer poco: sólo algunos caramelos y nada más. No podríamos detenernos para comer pues perderíamos un precioso tiempo, algo nada recomendable. Durante los grandes esfuerzos, el organismo se resiste a admitir comidas pesadas, pues toda su atención está puesta en el músculo y no en el trabajo que insume la digestión. Luego de un buen desayuno, nos despedimos de la mochila que dejamos en el lugar con el equipo que no habríamos de utilizar. La inseparable carpa del Aconcagua y la Antártida nos acompañaba junto con 15 clavos en una sola mochila que cargaba Alfredo. Una soga de 80 metros, dulces para dos días y una

Pentax eran todo el equipo que llevábamos. Con los grampones puestos y piqueta en mano descontamos que haríamos
en una hora la distancia que nos separaba de la pared. El
día llegaba cuando tocamos el granito del inicio. Por lo general, las paredes vistas desde cerca y desde abajo pierden
toda perspectiva, y es muy difícil imaginar una vía de ascensión. Los monolitos altísimos y bloques fracturados del
Poincenot hacen muy confuso el itinerario a seguir; por esto, un poco a ciegas me decidí a comenzar con los primeros
metros de escalada. Atado en doble a la soga, dejando las
piquetas y conservando un solo par de grampones que
guardaba Alfredo en su mochila, me elevé no sin trabajo
sobre los primeros bloques.

Los momentos más peligrosos

Todo estaba frío y quieto a esa hora, inclusive los ánimos tardaron en despertar. Es el momento que elige el trepador para comenzar la escalada. Con las manos entume-
cidas, con las paredes en sombra, con el cerebro todavía sin
adaptarse a la dificultad, resultan los momentos más difíciles y peligrosos de superar. Para peor todas las fisuras se
hallaban repletas de hielo y los chorrillos de agua que deben correr durante el día se encontraban congelados formando una peligrosa pátina de hielo. A los diez metros de
comenzar, llegué a una pequeña plataforma con nieve muy
inclinada. Allí dudé si tomar una fisura que salía a mi izquierda o una pequeña chimenea que adivinaba que nos
llevaría a secciones más fáciles que aquella en la que estábamos actualmente. Me decidí por la derecha, puse un *nut*
antes de comenzar, sólo por seguridad, luego un clavo con
estribo y ya estaba en la parte difícil de la chimenea. El fondo, todo con nieve, ofrecía sólo y a su izquierda una fisura
con *verglass* en su interior. Probé algunos clavos que al tan-
tearlos salían fácilmente, puse uno especialmente ancho
con la esperanza de que resistiese y, previniendo a mi compañero, descargué en forma lenta mi peso en él. Parado en

el estribo y habiendo ganado unos centímetros, busqué la resolución de la salida.

Vertiginosa caída

Un ruido seco y característico me sorprendió en ese instante y al segundo me encontré de espaldas cayendo en el vacío. Escuché que el clavo puesto anteriormente también saltaba y me sentí gruñir, resignado al tirón que soportaría el único *nut* que por fortuna aguantó. Choqué con la cadera contra una losa de manera muy dura, pero el momento no estaba para lamentarse. Contesté a Alfredo que todo estaba bien y rehice el camino poniendo de nuevo en orden el material caído. Por fortuna no habíamos perdido ningún clavo puesto que habían quedado enganchados en un mosquetón con la soga. Me ensañé con la chimenea y luego de no pocos esfuerzos conseguí superarla. Llegó Alfredo con los Jümar, y ya había recuperado todos los clavos.

El sol dominaba en esos momentos el cordón Adela y el cerro Torre; exaltados por la escalada, el tiempo había transcurrido sin darnos cuenta. Miré el reloj, que marcaba las once de la mañana. Por la orientación, el sol no iluminaría la pared donde estábamos sino pasadas las siete de la tarde, es decir que permaneceríamos en sombras durante todo el día. En cierto modo nos favorecía pues no tendríamos tanta sed; con el frío el organismo trabaja más descansado, y los movimientos que realiza equilibran la pérdida de calor. Lo malo vendría cuando al amanecer tuviésemos que comenzar la escalada ateridos por la noche pasada y sin sol para calentarnos.

Al llegar la mañana, comenzaron a sucederse una serie de largos de similares características: chimeneas con hielo, pequeñas fisuras y toda la gama de problemas que se suscitan con condiciones invernales.

Más dificultades que las calculadas

Nos sorprendió un poco encontrar tantas dificultades en un tramo que creíamos carente de ellas. Esto hizo que demorásemos más de lo previsto y comenzáramos a pensar que llegar a la cumbre no llevaría sólo dos días, sino algunos más. Hechos a la idea, me tranquilicé ajustándome a las dificultades. Luego de seis largos llegamos a un importante *nevé* que atravesaba el zócalo del Poincenot. Desde allí observé el camino a seguir y por cierto que no aclaraba nada la altura que habíamos ganado. Estaba todo indefinido, se sucedían una cantidad de techos en una posible directa hacia el diedro superior; otras lajas lisas interrumpían el acceso a bloques fáciles que hubiéramos podido tomar para ganar la boca de salida. En fin, una serie de incógnitas que teníamos que resolver.

Atravesamos el *nevé* buscando la izquierda de la montaña pues algo me decía que allí encontraría la llave de la ascensión. Una serie de largos se sucedían en diagonales ascendentes sobre piedras nevadas o bien en atléticas escaladas sobre bloques y chimeneas. A las siete de la tarde la ruta se definió: unos cinco metros de artificial nos colocaron sobre la sección de bloques fáciles que llevaban al diedro grande que indica la salida. Desde ese lugar dominábamos todo el valle, pero el cansancio hizo que no comentásemos a fondo las maravillas que estábamos viviendo. Me concentré en estos 50 metros. Antes de comenzar nos permitimos los primeros tragos de agua limonada que tomábamos en el día. Como no habíamos traído el calentador por considerarlo de peso, nos sería imposible derretir nieve; es por esto que ahorrábamos tomar de la botella, temiendo que se nos acabara a lo largo de la ascensión.

Mantenía la esperanza de encontrar alguna marmita eólica llena de agua. Por mirar al oeste y recibir toda la fuerza del viento esta sección es propensa a esa clase de formaciones, pero me abstuve de comentárselo a Alfredo pues hubiera terminado con la cantimplora. Comenzamos con los 50 metros, el sol nos iluminaba reponiendo algo de energía a nuestros cansados organismos. Buscábamos una plataforma para el vivac, que no podía estar muy lejos; esta ilusión y el agotamiento representado por las 14 horas de continuo movimiento hicieron que acelerara los trámites de estos largos de artificial.

Agua, y un vivac bien merecido

Al terminar, encontré una buena plataforma pero el agua todavía no estaba. Ascendí otros 20 metros y entre algunos monolitos hallé el yacimiento y, sin decir nada, hice venir a Alfredo. Con mucha ceremonia, le pregunté qué desearía más en ese momento. "¡Agua, por supuesto!", contestó. "Bueno...", con un gesto magnánimo le señalé mi descubrimiento. Fantástica recompensa para una jornada como la que habíamos vivido. Bebimos y bebimos, y fijando la soga al lugar, descendimos al vivac con la cantimplora llena.

Fueron mínimos los preparativos para instalarlo; rápidamente extendimos la carpita, que parecía ajustarse a las dimensiones de esta muy simpática plataforma. Plana por completo y con pedregullo en el piso, ofrecía un excelente mirador al valle y al atardecer que se apresuraba a enrojecer. Estábamos muy contentos, el día había sido muy productivo y finalizaba de manera magnífica. La presencia del agua levantaba los ánimos provocando comentarios hasta bien entrada la noche. Fumamos en paz mientras masticábamos muy despacio algún chocolate extraído de la mochila.

No habíamos traído las bolsas de dormir, cosa que faltó en este vivac para hacerlo perfecto, pero la carpa bien cerrada conservaba en parte nuestro calor. Así pasó la velada sin que notáramos demasiado la ausencia del abrigo. A la madrugada siguiente sentimos las manos hinchadas y muy sensibles al tacto con el granito; en los primeros momentos y hasta entrar en calor tuvimos que aguantar los dolores. Con el uso de la soga recuperamos los 20 metros descendidos el día anterior para el agua. Los primeros movimientos fueron algo torpes, las pequeñas incomodidades del vivac se hacían sentir hasta pasados los primeros treinta minutos de comenzar a escalar. Avanzamos al unísono por algunos bloques fáciles, que habíamos divisado desde abajo, y que conducen al gran diedro. Ganamos altura aceleradamente; luego el ritmo disminuyó al encontrarnos con las dificultades que nos representaban una serie de chimeneas y travesías ascendentes. Éstas nos derivaron a nuestra derecha, centrándonos en el medio de la pared.

El esfuerzo era mucho y continuado, cada largo presentaba un paso muy delicado y los pequeños grandes trucos aprendidos en California valían oro en esas circunstancias.

Los valiosos trucos de California

Al recordar ascensiones anteriores me es difícil comprender por qué no hemos usado algunos trucos que eran unas finezas tan sutiles como simples.

Alfredo, por su parte, día a día capitalizaba la ascensión, desenvolviéndose cada vez con mayor soltura. Extraía los clavos o *nuts* que yo interponía en la escalada rítmicamente y asimilaba los secretos que cada uno de ellos guardaba para su recuperación.

Durante las horas de la mañana el cielo permaneció encapotado pero con nubes muy altas que no hacían temer ningún cambio desagradable. Esa resolana provocó que, mientras esperaba a Alfredo en un relevo, instantáneamente me quedase dormido. Sólo reaccioné cuando me despertó el ruido de la piedra sobre la cual estaba apoyado. La soga de la que pendía Alfredo estaba fijada a ésta y yo, para mayor seguridad, aguantaba con el cuerpo un posible deslizamiento de la misma. Al dormirme, seguramente balanceé alejándome del bloque que entonces se deslizó unos centímetros. Cuando llegó Alfredo me guardé bien de hacerle el comentario. Me transbordó la *ferretería* y reemprendí la ascensión. Nos tocaba enfrentar la parte más expuesta y extraplomada de la montaña; una variedad de fisuras encorvaban sus salidas empujándonos hacia el exterior. En estas secciones era Alfredo el que llevaba la peor parte pues los Jümar no son del todo prácticos en esas condiciones. Balanceándose en el vacío era muy cansador recuperar los clavos que se alejaban debajo de la vertical. Por mi parte, a mitad de la tarde tropecé con un inconveniente: una fisura al parecer practicable se ensañaba en no dejarme pasar. Extremadamente fina y vertical, negaba con empecinamiento toda posibilidad devolviéndome al punto de partida. A mi derecha, otra rajadura se ofrecía a la progresión pero, muy podrida, hizo que demorase casi dos horas en sus veinte metros. Fueron horas de permanente tensión. Tampoco terminaron allí las dificultades, pues otra fisura, en impresionante exposición, clausuró nuestra llegada al tope del gran diedro por donde veníamos subiendo.

El alma del alpinismo moderno

En esos momentos de ilimitadas dificultades, de asombroso vacío, de delicado equilibrio, reside toda el alma del alpinismo moderno. Ese continuo operar en situaciones extremas hace que el trepador se galvanice transformándose. El dominar el peligro a tan alto nivel lo lleva a divorciarse de la realidad en que hasta entonces vivía, y abandone el impulso primario de resguardar su vida. Al experimentar esos momentos se opera un *switch* a otros órdenes de cosas enfrentándose entonces con él mismo, ausente de peso, ausente de materia.

Era bien tarde cuando llegamos al col. Hasta el momento habíamos creído que era éste el comienzo de las facilidades que nos ofrecerían los 400 metros finales que nos separaban de la cumbre. Pero tropezamos con la desagradable sorpresa de una serie de lisos gendarmes que se interponían en la travesía hacia la gran pirámide cumbrera. Las

nubes habían cambiado de forma y altura transformándose en una amenazadora tormenta; a pesar de todo rehice la
moral y comencé inmediatamente a atacar los resaltos. El
granito era granuloso y blando, y tuve que extremar los
cuidados al colocar los clavos que, en caso de martillarlos
demasiado, romperían la roca. Al terminar los 40 metros,
subió Alfredo limpiando la fisura. Desde ese punto un
obligado *rappel* se imponía para alcanzar el próximo gendarme. Lo realicé con prisa, y comencé inmediatamente a
subir el resalte. Mientras tanto, Alfredo permanecía en el
lugar, colgado de la soga, para evitar cortar peligrosamente la retirada ante la imposibilidad de ascender la sección
que bajaba. El segundo gendarme era menos difícil y lo superé fácilmente luego de algunos minutos; cuando llegué a
su tope vi que se extendía otros 40 metros. Fijé la soga en
el lugar, escalando el camino que restaba hasta observar la
ruta. El espectáculo no era muy alentador pues una lajas
difíciles se interponían defendiendo la subida a la cumbre.
Un tanto intranquilo por estos inconvenientes, retrocedí en
busca de la cuerda organizando, mientras tanto, el plan a
seguir. Si atravesábamos todos estos gendarmes en el mismo día, en caso de tormenta, nos sería muy difícil retroceder en sentido inverso; por esta razón, una vez que estuve
junto a Alfredo, descendimos hasta el col dejando la soga
fija sobre los metros ganados del primer gendarme. El lugar no era nada cómodo para vivaquear; un conjunto de lajas puestas en desorden impedían la posibilidad de una
buena plataforma y tuvimos que acurrucarnos lo mejor posible entre piedras que parecían comprimirnos. La posición
era inadecuada y la noche fría: estábamos muy alto y esto
se hacía sentir. Apenas teníamos algo para comer pues las
provisiones calculadas para dos días se extinguieron casi
por completo; sólo teníamos algunos caramelos que demoramos en chupar. Ninguno de los dos dormía, hechos un
nudo tiritábamos al unísono conmoviendo la carpita que
parecía no abrigar.

Cada tanto una ráfaga de viento desprendía de la tela la

condensación congelada arrojando un desagradable granizo dentro del cuello o embocándolo en las orejas. Así nos sorprendió el nuevo día.

¡Ánimo! ¡A continuar!

Acalambrados y tiritando nos obligamos a salir; para colmo el agua que olvidé poner junto al cuerpo se congeló en su botella negándonos sus estimulantes tragos. Observé el cielo y lo encontré todavía suficientemente estable como para proseguir con la escalada. A las seis estaba sobre la soga fija, con las manos destrozadas, casi sin piel, laceradas por repetidos martillazos. Hasta no acostumbrarlas, el dolor sería insoportable. Una vez en el tope le devolví los Jümars a Alfredo que comenzó a subir; mientras tanto me ingeniaba para fijar con cordines la bajada al segundo gendarme. Todo lo hacíamos rápidamente pues la visión de la cumbre y el frío de la madrugada contribuían a aumentar la impaciencia. Una vez terminadas las operaciones atravesamos en fácil escalada los tramos finales del filo. Como ya había observado, una sección vertical interrumpía la llegada a la pirámide cumbrera; eran unos setenta metros de desnivel con diferentes posibilidades de ascensión. Fisuras paralelas se sucedían en simétrica progresión y elegí la que a mi entender ofrecía menores dificultades. Alfredo me aseguraba mientas trepaba por unos bloques inestables al borde del equilibrio; eran tan peligrosos que advertí a mi compañero que cambiase su posición en el seguro y se corriera un poco hacia el costado. Luego de esto efectué un corto péndulo para evitar unos desplomes que se interponían en esta gran fisura. Llamé a Alfredo.

Escalada libre: ahorro de tiempo y material

Para bien de los dos y contra lo que esperábamos, los próximos metros ofrecían la posibilidad de hacerlos en escalada libre, ahorrándonos tiempo y material. Nuestras ansias de llegar a la cumbre no hubieran soportado una mayor demora. Terminamos esta fisura sobre una terraza, cómoda y amplia; allí tomamos agua de unas cavidades con las superficies congeladas todavía por la hora, como lobos sedientos. Para ello rompimos la delgada capa y nuestra sed quedó satisfecha. Las gargantas se nos habían inflamado a causa de beber tanto frío; en un principio creí que eran anginas o algo parecido, pero como a Alfredo también le pasaba lo mismo, dedujimos que se trataba del agua. En esa terraza las dificultades aparentemente habían terminado; 300 metros muy practicables nos separaban de la cima. Por lo tanto, dejando gran parte de la *ferretería*, nos entregamos a una escalada tranquila, sólida y agradable. Unos lindos 4° grados se sucedían entregándonos en forma paulatina la llegada a la cumbre.

Dispares estados de ánimo ante la cumbre

Metros antes de arribar, la desilusión invadió por un instante mi ánimo; lamentaba que toda esta lucha que a través de tres días habíamos sobrellevado, terminase de manera brusca con nuestra llegada a la cumbre. Ya estábamos plenamente acostumbrados al esfuerzo y en este momento gozábamos de la escalada. Nuestros sentidos habían sintonizado todos los murmullos, los matices y la temperatura del escenario que nos rodeaba, haciéndonos integrar nuestra psicología con los elementos. Era con este ánimo que tocaba la cumbre. A los pocos minutos llegaba Alfredo, vivamente emocionado; para él, el Poincenot, era *su cumbre*. En el verano anterior, con sus compañeros, había intentado abrir una ruta en esta montaña, retrocediendo porque no tenía suficiente experiencia en este tipo de escalada y las condiciones del tiempo no los habían acompañado; la idea de ascenderla quedó como una fijación en su mente.

Mi posición era algo distinta, mis ilusiones estaban en el Torre que, paradójicamente, nos observaba desde esa misma altura. Había venido aquí para entrenarme y poner a punto una técnica que nos serviría para vencerlo. Como empresa fue exultante pero la cumbre del Poincenot no es *mi cumbre*. En Alfredo notaba que estaba viviendo los momentos más trascendentes de su vida, pues era, aunque difícil de creer, su primera cumbre importante. Todas sus primeras experiencias habían sido en montañas de Bariloche o en cumbres menores, como Córdoba y Sierra de la Ventana. Excitado miraba todo lo que nos rodeaba; la cumbre del Fitz Roy estaba al alcance de la mano. Una ubicación privilegiada hacía que observáramos la ruta francesa de ascensión al Fitz y la realizada por el grupo americano hacía sólo unos pocos días. Dos rutas que simbolizaban dos concepciones diferentes, la europea del año 1952 y la ultrarrápida norteamericana de 1968. Hacia el oeste, la meseta blanca del hielo continental y más allá, cerros, cerros y más cerros.

Media hora permanecimos en la cumbre y eran las tres de la tarde cuando comenzamos a bajar. Esos largos de 1.200 metros de desnivel se anunciaban difíciles de descender.

Planes para agilizar el descenso

Queríamos abolir en la bajada una serie de travesías que habíamos efectuado en la ascensión pues, de otra manera, demoraríamos muchísimo al hacerlas en sentido inverso. Destrepamos los 300 metros que nos separaban de nuestro equipo abandonado en la terraza, pero ínterin, por haber descendido demasiado, equivoqué el camino perdiendo un tiempo que en esas circunstancias era precioso. Comenzaron los *rappeles*, le siguieron la larga travesía de los gendarmes y a las seis de la tarde pasamos por el último vivac. Además, cronométricamente, se sucedían las maniobras: espectaculares *rappeles* araña (suspendidos y separados de la pared) hacían que, concentrados, transcurriesen las horas. Era media noche cuando sucedió lo imprevisto. Hallándome en el extremo de la soga, me encontré con que el diedro por donde veníamos bajando me negaba la posibilidad de plantar un clavo para continuar.

Una seria dificultad impedía el descenso

En la penumbra de la noche, por más que buscaba, no encontraba nada realizable. Alfredo arriba, y en posición incómoda, se intranquilizaba preguntándome a gritos qué ocurría. La situación era crítica; si no encontraba el medio de seguir bajando, nos estancaríamos en ese lugar. La única salvación era bajar. En el vértice del diedro una chimenea de 22 centímetros me ofrecía como única solución la probabilidad de atravesar la última cuña de aluminio que nos quedaba. La martillé con sumo cuidado, y no pareció que quedara bien firme. Probé de nuevo, y se sostenía, pero no muy segura. Era una locura lo que estaba haciendo, pero en esas circunstancias era la única salvación. Sin pensarlo dos veces dije a Alfredo que viniese. La vertical era absoluta y cuando llegó no había lugar para asegurarse. Trabado con una mano a la chimenea y con la otra libre, recuperamos el *rappel*. Lo coloqué en la cuña, rogando a todos los santos que me aguantase. Si alguno de los dos se caía arrastraría con él la soga, dejando al otro en situación fatal. Cuando todo estuvo en orden, me decidí a descender. Tenía el corazón en la boca y adivinaba en Alfredo la gravedad del momento que pasaba cuando yo ponía el peso definitivamente en la soga. En forma imperceptible hice correr los centímetros hasta que, luego de unos 15 metros que me parecieron 100, adiviné una fisura donde martillé algunos clavos. Ya más seguro, hice venir a Alfredo, que repitió la misma operación con igual riesgo. Hasta no estar los dos reunidos en los clavos que acababa de colocar, corríamos el mismo peligro. Dulcemente se fue acercando hasta llegar al relevo, y recién allí, respiramos tranquilos. Por esa noche teníamos bastante, un *rappel* más y arribamos al gran *nevé* que atraviesa el zócalo de la pared; allí decidimos ubicarnos para el vivac.

Ultimo vivac en el nevé

Una noche más como todas las anteriores, pero menos fría por estar más abajo. Tenía las manos destrozadas. Estaban tan sensibles que no podía siquiera rozarlas con la ropa. A las 4 de la mañana del cuarto día comenzamos a descontar los metros que nos separaban del inicio de la ruta. Eran unos 300 que, de no ser por la nevada que de a ratos nos caía, los hubiéramos efectuado con mayor rapidez. Una bajada *sin historia* nos depositó en nuestra mochila, a las 12 del 27 de diciembre de 1968, día en el que -extraño parangón- los norteamericanos aterrizaban en la Luna.

XVI. MI EXPERIENCIA CON EL HIMALAYA

Corría el año 1972; la expedición estaba formada por militares y civiles. Había una comandancia militar, pues en definitiva fueron ellos quienes aportaron toda la organización y el dinero. Carlos Comesaña era el jefe de la parte civil. En el momento de la partida yo no podía unirme al grupo (había comenzado a trabajar) y les propuse hacer la aproximación al campamento base solo y, por lo tanto, en menos tiempo. Concretamente les planteé: "Si ustedes salen el 29 de mayo, yo lo haré dos meses después, tiempo suficiente para llegar juntos al campamento base". Así fue, llegué dos días antes que la expedición arribara al campo base. Pero el jefe militar, Cativa Tolosa, decidió que, como yo no había realizado todos los esfuerzos acompañándolos en los 60 días de aproximación al Everest, no merecía poder llegar a la cima tan "fácilmente". Este señor no acababa de entender que en realidad la ascensión todavía no había empezado; faltaba todo lo peor. Como él había necesitado dos meses de sufrimiento (¿¡!?), habrá pensado que llegar a la cumbre, con un integrante que no había compartido las penurias de la aproximación (sufridas por él), era algo que no podía permitir. Entonces me invitaron a abandonar el grupo, y tuve que volver a Buenos Aires.

Ellos tampoco llegaron porque hacer cumbre en el Everest es toda una empresa. En ese momento estaba feliz de haber vivido esos quince días fabulosos haciendo la aproximación que, realmente, no sentí. Pensé que al año siguiente regresaría con los ingleses que me habían invitado, y retorné a la Argentina con la esperanza de subir al Everest al año siguiente. Esto hubiera sido el último capítulo para cerrar todos los hitos. Cuando llegué, conocí a Mariele, me puse a trabajar y ya mis objetivos se centraron en el trabajo y en el matrimonio. Me casé y después esperé quince años para regresar a la montaña. El momento del Everest había pasado: ya no tenía ni la edad ni. el entusiasmo para volver atrás y empezar el último capítulo.

XVII. KAYAK EN COSTA RICA

Pura vida mae

Estamos en marzo de 1985. *Pura vida mae*, esto sí que es vida. Así comenzaba el Pacuare, entregando las primeras sensaciones.

Fernando en la balsa junto con Pepe Capdevila -mi cuñado-, y Henry, Rafael Gallo, Tobi Marino y yo en los kayaks constituíamos la pequeña flota que empezaba a bajar por esa maravillosa arteria en Costa Rica.

El pasado de ilusiones que nos habíamos forjado al proyectar esta aventura se hacía presente y, por lo tanto, asumirlo era un deber que cumplir de inmediato. Nos trincamos bien en los botes y cada uno afinaba el propio con sus particulares características. Nos costaba poco entrar en materia; días atrás habíamos hecho quince millas del Reventazón y esto nos sirvió de mucho, como habríamos de comprobar.

En la balsa (*raft*) llevábamos todo lo necesario para dos días de navegación y, a juzgar por lo voluminoso de la carga, estaríamos bien alimentados y muy bien instalados en el campamento, por la noche.

Rafael Gallo era el responsable de la expedición que, de manera más o menos periódica, organizaba Costa Rica Expedition, compañía para la cual trabajaba. Salvadoreño, de 26 años, hacía ocho que no se bajaba de un kayak y esto se le notaba apenas empuñaba un remo.

Durante un largo año y medio de peregrinar por ríos en la Argentina, desarrollamos -no con mucha precisión- una técnica que se apoyaba en lo que creíamos entender de los artículos de las revistas extranjeras. Éste era mi primer contacto con un remero de aguas blancas de este nivel. Al compararlo con nuestro modo de encarar esta actividad, nos íbamos dando cuenta de los errores que cometíamos o de si lo que adivinábamos era correcto. Al estar en presencia de Rafael y en el curso del Pacuare ya se irían poniendo en claro nuestras ideas.

Características del Pacuare

El río nace en la Cordillera Central, desciende hasta el Atlántico y recorre una distancia de 250 millas; nosotros, que lo abordamos en su curso superior, haríamos treinticinco millas de rápidos; su dificultad estaba catalogada como de III, IV y, bajo ciertas condiciones, como V (VI es el máximo de dificultad).

Demás está decir que teníamos el corazón, como en otras experiencias, bien ajustado en la garganta. Una buena manera de bajar el umbral del estrés es, y esto lo hacíamos con facilidad, relajar el estómago, inspirar profunda y repetidas veces y salir corriendo detrás de un arbusto a fertilizarlo con nuestros nervios desatados.

No obstante la época, no llovía y teníamos un sol que, cuando la jungla lo permitía, lucía en todo su esplendor; queríamos que todo se diera perfecto y por esto era que estábamos aquí, pala y pala recorriendo estos ríos.

La selva que nos rodeaba

De entrada, lo que más nos impresionó fue la selva en sí misma. Las ceibas son plantas de treinta metros, con un sistema de raíces en forma de aletas que soportan la base del tronco; una copa amplísima pero rala permite que debajo crezca un *sottobosque* con una vegetación variadísima, fácil de imaginar en este clima. La jungla, muy cerrada sobre el río, apenas deja aparecer alguna playa de barro refugiada entre las rocas.

El agua corría con vigor y, como una serpiente, buscaba los primeros rápidos. Templada, de color oscuro pero saludable, aportaba las condiciones para que este viaje fuera ideal. ¡*Vamos, chico, todavía!, a gozar a gozar...* como cantaba Tito Rodríguez por los años sesenta.

Dos o tres curvas y un grado III hacia un murallón era la apertura técnica del Pacuare. Evitamos algunas piedras y en el *eddy* (remanso) de abajo nos detuvimos para divertirnos con el espectáculo del *raft* de Pepe y Henry que cumplían con su bautismo de espuma (!). Era una reconfortante sensación la de estar acompañados por la balsa, que oficiaba de nave madre a la que había que proteger y que nos brindaba apoyo con su carga de confort. Por sobre el ruido del agua prevalecía el de los insectos y pájaros, algo parecido a las chicharras del Delta argentino; son las que llevan la voz cantante, sobre todo al mediodía.

El río en su totalidad tiene una particular dinámica, y pronto entramos en materia revolcándonos en varios agujeros o perdiendo la línea (pero no el honor) en algunos rápidos.

El arte de Rafael

Espectáculo aparte era Rafael. Decididamente constituía una delicia ver con qué suavidad y economía de esfuerzos negociaba cada ola, cada piedra, cada *eddy*. Observándolo sentía que finalmente este viaje comenzaba a disolver todas nuestras dudas. Técnicas sobre las cuales durante el aprendizaje abrigábamos reparos, se iban aclarando y comprobábamos que en la acción de aprender, en este solo hecho, reside el placer que lleva al hombre a evolucionar, cualquiera sea la disciplina.

Los botes que usábamos eran de polietileno (rotomoldeados) y esto hacía que flotaran a la perfección; la resistencia, sobre la base de su flexibilidad, modificaba radicalmente la posibilidad de roturas. Entonces, nuestra actitud hacia las piedras era muy distinta; entrábamos más confiados en los lugares trabados.

Como para confirmar mis apreciaciones, en uno de los tantos errores que cometí, me di de frente, bien de punta, contra una laja plana y vertical que hizo conmover todo el bote, pero sin dañarlo en absoluto. ¡Milagros de la tecnología!

Cuando la tarde oscurecía y comenzábamos a sentirnos suficientemente húmedos, apareció, detrás de una escollera natural de rocas, nuestro lugar de campamento. Estaba bien despejado gracias al pastoreo de algunas vacas, propiedad de un poblador de todo el curso de este tramo del río.

Con la eficacia que se adquiere al repetir muchas veces una acción, los muchachos armaron tinglado, cocina y *bar*, en un santiamén. Bocadillos de entrada (huevos de codorniz), cerveza en abundancia, *macadamia*, etcétera, constituyeron nuestro menú. Como el sol se ponía tarde, teníamos mucho tiempo para perder. Yo había traído una combinación de hamaca con mosquitero y doble techo, de armado infernal. Con miles de nudos que desenredar y extender, nos llevó una buena hora dejarla lista para habitar.

La aparición de una serpiente nos descolocó

Con Pepe nos internamos por un sendero que corría paralelo al río, sobre todo para ver hasta dónde llevaba; a los pocos metros tropezamos con una serpiente de regular tamaño, marrón y de suficiente espesor como para que mi compañero recordara oportunamente que tenía que regresar al campamento para afeitarse y no sé qué otros menesteres. Volvimos a las carpas (léase mosquiteros) mirando menos la selva y más el piso.

Durante la cena, el tema dominante fueron los ríos. Rafael nos contó sus comienzos en Idaho, ocho años atrás y, a juzgar por sus experiencias, reconocimos que todos los comienzos son parecidos. Llegamos a la conclusión de que existe un ángel protector ocupado *full time* con los debutantes, que los rescata y los salva siempre milagrosamente de cualquier infierno. ¡Cuántas veces se lo habremos agradecido! La vida de Rafael era el kayak y la ordenaba en base a eso; se había recibido de ingeniero, pero su existencia y anhelos estaban puestos en los ríos del mundo.

Silbando bajito y no muy entrada la noche, satisfechos, nos colgamos de nuestras hamacas y pretendimos dormir. Al día siguiente tendríamos el plato fuerte del Pacuare: tres rápidos de IV y V, las Huacas y el Cimarrón. El murmullo del río vino en ayuda de nuestro sueño, y en el sopor de la noche húmeda y perfumada, finalmente logramos dormir.

La mañana comenzaba temprano, pero remoloneamos hasta tarde en las bolsas de dormir. Mientras tanto, cada uno afinaba sus estímulos para entrar en acción. El corazón bombeaba un poco más fuerte y las mariposas del estómago comenzaban a aletear. La situación me recordaba un poco la de los gladiadores en los momentos previos a entrar en la arena: destino trágico y a la vez deseado. ¡Qué complejo es el hombre, y sus motivaciones!

El ruido de las cacerolas activaron nuestros jugos gástricos y, finalmente, nos levantamos. Panqueques de prunas, omelettes, jugo de papayas, café con cáscara de huevo duro dentro y hervido estilo John Wayne y, sin más trámites, calzamos en los botes.

"Tienes que vestir tu kayak"

Esto de calzarse es literal; comprendí muy bien por qué, acondicionando justo las caderas, bien fijas las rodillas y los talones en los acolchamientos de espuma, uno formaba una sola pieza con el casco y se sentía el bote como una perfecta prolongación. Todo favorecía la sensibilidad de la navegación y ni contar la facilidad con que salía el *roll*. *You have to wear your kajak* (tienes que vestir tu kayak), éste era en resumen el concepto de Rafael mientras nos enseñaba a acondicionar los nuestros.

En el agua buscamos en los *eddies*, ocasión para calentarnos.

A veces los ríos me parecen como los caminos del Tao,

en los que uno busca la mejor vida o manera de usarla. Difícil, pero cuando se encuentra, se toca el cielo con las manos.

De las paredes de roca que encajonaban el Pacuare, se desprendían helechos, líquenes, lianas y orquídeas; era tanta la exuberancia, que parecía decorada artificialmente para una filmación de *Las minas del Rey Salomón*. Cada tanto veíamos una iguana, agazapada en alguna raíz. Finalmente llegamos a la Huaca superior y desembarcamos a su izquierda para explorarla.

Desde que habíamos comenzado a imaginar este viaje, hacía ya mucho tiempo, las Huacas eran el paso clave de este río; leído y relatado innumerables veces, íbamos imaginándolo de diferentes formas. Ninguna resulta como verlo al natural. Comprimido entre dos paredes con dos grandes *boulders*, el curso se precipita luego de unos trescientos metros en una gran pileta decorada por una espectacular caída de agua. Comenzaba a lloviznar, añadiendo una luz particular a nuestros convulsionados estados de ánimo.

Salió del pozo así de fácil

Rafael abrió la marcha mientras yo filmaba y, más importante aún, observaba cómo lo hacía. Antes del rápido se refugió en un *eddy*, allí se oxigenó y decidió la línea a seguir; derivó a la izquierda, se apoyó en una ola y luego por el centro atacó dos pozos que lo retuvieron un instante. Remó y remó hasta que logró salir. Y ya estaba: pareció así de fácil.

Tobi, sin darse tiempo para la duda, le pisaba los talones. El primer pozo lo retuvo y lo volcó, entrando panza arriba en el segundo, donde recibió fuertes golpes, pues había muchas piedras. Desde fuera lucía bastante dramático e imaginaba cómo lo debía estar pasando allí debajo. Intentó el *roll*, pero estaba en muy mala posición; otra vez... y tampoco. Cuando llegó a la pileta abandonó el bote y allí estaba Rafael para empujarlo a la costa.

Con semejantes antecedentes, me afirmé lo mejor que pude dentro del bote y, encomendándome a los duendes del bosque, repetí el procedimiento pero modificando la línea final. Estaba tan absorto en evitar esos dos pozos que volqué en la parte fácil, antes de entrar en los rápidos; cabeza abajo tuve un *flash* exactamente igual al experimentado en los ríos argentinos Mendoza y Diamante. ¡No podía ser que no aprendiera nunca! Era la tercera vez que me pasaba. Más que rápido me organicé y me adricé allí debajo, centímetros antes de entrar en lo álgido. Milagrosamente me encontré a la izquierda de los agujeros y en muy buena dirección para terminar el rápido con decoro. En fin... algo menos por qué sufrir.

Tobi estaba en una playita vaciando su bote y componiendo su figura; había recibido una buena *torta* en un ojo, que comenzaba a hinchársele. Además se le perforó un tímpano producto de la presión del agua; me lo describía como *tener un aeropuerto dentro de la cabeza*, tal era la sensación de chiflidos de aire en el oído medio.

No obstante las circunstancias, teníamos ánimos para admirar y filmar esta estupenda caída de agua que contemplábamos justo enfrente nuestro. Precisamente fue ésta la imagen, publicada en una foto espectacular a toda página en la revista *CANOE* de Estados Unidos, lo que motivó nuestro viaje a Costa Rica.

Desde el lugar en que estábamos se escuchaba que, a pocos metros, se encontraba la Huaca inferior, una catarata más famosa aún que la que acabábamos de pasar. Sin dejarnos enfriar, partimos a explorarla. De trescientos metros de largo -parecería que el Pacuare cortara todas a medida-, pero con una entrada mucho más estrecha, de unos dos metros de ancho, entre una pared y una gran roca, debíamos deslizarnos con movimientos muy precisos para evitar diversos pozos; de este modo, embocaríamos en una lengua de no más de un metro de ancho, para luego girar a la izquierda de una roca sumergida, y ya estaríamos libres.

El peligro de perder la línea

Por lo general, estos caminos que uno traza en los rápidos, casi siempre, en la práctica, no dan resultado; basta un solo movimiento de más para que la línea se pierda y no se pueda recuperar jamás. En nuestro caso era mejor no hacerlo pues las piedras eran tan peligrosas, que deseaba compartir la táctica con Tobi. Pero cuando volvía al bote, vi que ya se había decidido y enfilaba muy firme hacia la entrada de la Huaca. ¡Qué bueno es tener un compañero así, que no dejaba ningún espacio para la duda! Entró perfectamente, una, dos remadas y ya estaba en la lengua, un poco a la izquierda; el pozo lo retuvo, y volcó.

Cabeza abajo se demoró unos instantes, siempre retenido en la espuma; se organizó con mucha serenidad con el remo y, ¡arriba con el *roll*! La tribuna lo aclamaba, remó fuerte para salir de la succión y terminó el tramo con papel picado y nuestras exclamaciones: "¡bravo doctor!"

Esto de entrar a la cola en los rápidos tiene sus ventajas; memorizando las maniobras de los que iban delante, se evitaba pagar muchos derechos de piso. Serené mis mariposas y pedaleé hacia mi destino. Entré bastante justo y muy concentrado, Costa Rica no existía, sólo veía el agua y apenas las piedras. ¿Dónde estaba la lengua? Bien a la proa de mi bote, entonces comencé a maquinar: "*apoyáte* en ese rulo... *remá* despacio con la izquierda... ojo con la succión... *tirá* el peso hacia adelante... *respirá* mucho y *aflojá* bien el estómago... *relajáte*... y ya estás afuera".

Una eternidad donde el tiempo no existía, sólo acción pura y llena de excitación. ¡Qué maravilla! Éste es el gancho del kayak, uno se siente como si viniera del infierno, de haber batido todos sus dragones y, ¡qué bien nos sentimos luego!

La balsa también tuvo sus episodios: como con los remos laterales no podían remar dado lo estrecho del pasaje, con un remo corto y muy asomado sobre la proa, Rafael trataba de gobernarla. Chocó con una ola muy fuerte y se sumergió de cabeza medio cuerpo dentro del agua. Pepe apenas pudo tomarlo de un tobillo y volverlo dentro del bote.

Después de digerir dos platos fuertes

Todos estábamos contentos, habíamos digerido los platos fuertes del día. Volví a sentir la selva y a tomar conciencia de que estábamos en Costa Rica. Pregunté la hora y eran sólo las nueve; parecía mediodía, nos quedaba un buen trecho por recorrer. Faltaba aún el Cimarrón y otros rápidos menores más; con la sensación de haber cumplido, el día nos parecía nuestro. Estaba tan relajado que, cuando llegué al rápido, volqué en el medio y contra una piedra. Rafael, que me observaba desde abajo, se asustó más que yo, pues la roca con la que choqué tenía un *undercut* (estaba socavada) que, afortunadamente, no me retuvo. Golpeé con el casco repetidas veces, cuidando la cara con el brazo. Cuando todo se serenó, me adricé fácilmente. Fue el último susto de la jornada; lo que nos quedaba sería un paseo que aprovecharíamos de modo especial, sabiendo que sería nuestra despedida de una tierra en la que todo es *pura vida mae*.

XVIII. DEL ANDINISMO AL KAYAKISMO

Cuando armamos una carpa en montaña, es señal de que la aventura está por comenzar. Las sensaciones que provoca son parecidas a las que se sienten bajo una carpa de circo: el espectáculo, las fieras, las emociones que se dan cita, como en este caso, debajo de la lona.

En noviembre de 1985 nos instalamos frente a los pequeños rápidos que salen del Mascardi, debajo del puente que lleva al Tronador. Estaba húmedo y umbrío debido a lo avanzado del invierno pero, aunque no era un lugar de ensueño, igual estábamos encantados. Tenía las características de parajes similares: los olores, los sonidos, las sensaciones que aletean en los momentos previos a una ascensión importante. Mi interés por venir a este lugar era hacerles conocer el kayak a tres de mis amigos montañistas: Alfredo Rosasco, Héctor Vieytes y Diego Baudrix. Por las descripciones que me habían hecho de este tramo (Mascardi Hess) me pareció que condensaba, en su corto recorrido de diez kilómetros, todo el *clima* que un gran río debe tener para esta actividad: árboles, buenas rocas con cañadones, saltos, cascadas, toboganes y un entorno *alpino*, acentuado ahora por las nieves que ya habían caído, y que mordían un bosque alto de lengas y ñires. Los factores climáticos no podían ser mejores: nada de viento, cielo claro, frío tenue y el agua que conservaba aún la temperatura del verano.

Como auténticos bucaneros

Remamos un rato por el lago, que se asemejaba a un espejo, y nos sentimos viejos bucaneros cuando desembarcamos en una isla, no muy lejos del campamento. A veces me ocurre pensar que las islas, como las cavernas o las cuevas, despiertan atavismos que todos llevamos dentro; si no los

tienen, les inventamos misterios y encantos seguramente alimentados por Defoe o Verne, según sea el caso. Pero en
nuestra isla no encontramos ninguna sirena, y mucho menos algún tesoro; eso sí, plásticos y botellas que nos recor-
daron que el hombre es bastante descuidado por naturaleza, especialmente en algunos continentes o países.

Luego de esta primera aventura, nos dirigimos a los rápidos del campamento para comenzar con las primeras lec-
ciones; en ellas se procura volcar la embarcación sin que el
pánico afecte a los navegantes, algo que no tarda en suceder.

Donde termina un rápido, ¡cuidado!

El rápido en sí es recto, con poca ola y sin dificultades,
pero los *trucos* están donde termina: invariablemente, todos tumbaban allí. Los remansos y borbotones del fondo
hacían que, cuando Alfredo o Héctor bajaban la guardia,
ipso facto volcaran. Esto constituía las delicias del camaró-
grafo y del pirata Misson que, sabiamente abrigado, coci-
naba en la orilla. El hecho de tener que abandonar el bote
y nadar rápidamente, resultaba algo que se aprendía sin
mayores enseñanzas; para recuperarse, estaban el fuego
bien encendido, ropa seca e intentar nuevamente hasta fa-
miliarizarse con el arte.

La noche llegaba muy temprano: a las cinco ya estaba
oscuro. Por eso había, suficiente tiempo para preparar la
cama y reponer las calorías perdidas. En este deporte no es
necesario levantarse temprano pues las condiciones del
agua no varían; por el contrario, mejoran hacia el mediodía
y este factor es, sin duda, interesante.

Al segundo día nos largamos corriente abajo con más seguridad y con intenciones de remar desde el lago Los Moscos hasta Hidrografía. El tiempo era perfecto: calmo y seco,
y el aire transparente. Gozamos la travesía del lago, que era
como un aceite donde los reflejos del cerro jugaban con
nuestras estelas. Alguna avutarda se acercaba para curio-

sear lo que hacíamos. Pronto entramos en ritmo y, casi sin darnos cuenta, estábamos en Hidrografía, un puesto abandonado hacía tiempo, que daba un tono de soledad a un paisaje ya melancólico de por sí.

Rumbo al lago Hess

Continuamos hacia el Hess, que constituía el plato fuerte del viaje.

Al bajar un río por primera vez sucede lo mismo que en las montañas vírgenes: uno de los ingredientes básicos es descubrir los pasos que habremos de tomar. Ese *juego bonito* es el espíritu que tenemos que conservar si queremos darnos todas las posibilidades que esa actividad ofrece. Si bien yo había leído la descripción del tramo, no tenía bien presente ni el orden ni los tiempos. Esto hacía que la sensación del descubrimiento se mantuviera intacta.

En los primeros minutos el agua bajaba mansa, pero luego comenzaba a tomar algo de velocidad, y aparecían entonces los primeros *picados finos.* Ver la expresión de mis compañeros era gozar el doble de estos acontecimientos. Poco a poco nos íbamos internando en la parte álgida del tramo. Pronto el río comenzó a sonar más bullanguero y el pato de los torrentes apareció custodiando el primer rápido. Buena señal para bajar de los botes y estudiar el tramo.

Lo primero que notamos fue que se trataba de una curva bien cerrada con bastante espuma por el medio; luego había un remanso donde Alfredo y Héctor podrían recuperarse si perdían el bote. Y, efectivamente, así fue. Apenas salieron de la espuma, los remansos los traicionaron y ¡de cabeza al agua nuevamente! Expertos ahora en estas lides, llegaron a la costa con pocas exclamaciones, vaciaron los kayaks y estudiamos el tramo siguiente: igual al anterior, pero recto y con algunas *bochas* en la máxima pendiente. Allí ya no se cayeron; le iban *tomando el tiempo* al río.

La primera gran cascada

Quedamos dentro de un corto cañadón que, sin duda, terminaría con algo fuerte; por lo tanto desembarcamos de nuevo y, a los pocos metros, encontramos una caída -mezcla de tobogán y cascada- de unos tres metros de altura que impresionaba bastante. Si el agua no hiciera ruido al caer, sería otra cosa, pero escuchar esa *manguera* hirviendo en el fondo del piletón, hace segregar adrenalina por litros. Al principio creí que se trataba de la cascada que figura en los mapas como *no navegable*; esto contribuía a que yo vacilara en hacerla pero... allí estaba el desafío. Se me hacían presentes los mismos mecanismos que ante el paso llave de una ruta en pared. Necesitaba pasar por allí de una u otra manera; para seguir estimándome y continuar viviendo, tenía que superarla. Para estos estados de conciencia los ingleses tienen una palabra que es *inners*, esto es *dentro*. La decisión de arriesgarse está en lo más íntimo de un ser. Allí te conviertes en el más solo, en el ermitaño más aislado del universo. Recordaba aquella ascensión solitaria que hice en la principal del Catedral cuando tenía 19 años. A lo largo del tiempo que duró la escalada, me sentí tan integrado con el entorno que llegué a experimentar que no tenía fuerza de gravedad y que yo mismo era el granito y el sol que me calentaba. ¡Qué estados...! Por suerte teníamos que sufrir bastante para lograrlos y eso los hace excepcionales.

Una comparación con el boxeo

Pensaba que al boxeador le ocurriría algo semejante. Y a propósito de los boxeadores me acordé de algo que, con su característica chispa, comentó Bonavena: "Todos dicen lo que tengo que hacer, me critican, opinan, pero el que recibe los sopapos en el ring soy yo, nadie más que yo". Así pues, con toda esta carga de fluidos, me calcé bien el kayak viendo claramente que no podría retroceder.

En alpinismo, casi siempre existe un paso atrás, un volver mañana, pero cuando uno se lanza en la corriente, ya no queda otra alternativa que continuar hacia adelante... Vino una curva, algo de espuma, coloqué el bote lo más al centro posible y en la caída. Todo sucedió más rápido de lo que uno hubiera deseado. Inmediatamente estuve cabeza abajo, boyando en el fondo; apresurado por los nervios y la inexperiencia, intenté el *roll* y fallé. *"¡Calma* -me decía-, *colocate y hacélo bien!"* Así fue, y salió bien. Festejamos el episodio y continuamos hacia abajo buscando las siguientes cascadas.

El hombre es un gladiador de sus propias fantasías. La realidad se reduce a sueños y anhelos, y en ellos lucha por materializarse. Si uno imagina ser hombre rico, tratará de convertir sus fantasías en realidad, y compondrá cotidianamente ese cuadro que piensa que debe ser. Cuanto más se empeñe, más posibilidades tendrá de materializarlo.

A mi manera de ver, la naturaleza representa el único parámetro inalterable de *la realidad*. Esto es en buen romance: la piedra es piedra, el viento siempre sopla, el agua también moja. Cuando el hombre lucha contra ellos lleva sus temores, su inseguridad, su miedo a perder la vida. Cuando los supera -esto se da mucho en alpinismo-, convierte toda su fantasía en algo por primera vez concreto: esa cumbre, esa piedra o aquel glaciar. Cuando esto sucede, el individuo está *en estado de gracia*; vale decir, en armonía con la realidad, con la naturaleza y, a veces, con el universo.

Molinos de viento

El kayak en aguas blancas de mediana dificultad para arriba lleva muchos de estos mecanismos; una cascada quizá represente -para quien se obligue a bajarla- la lengua de un dinosaurio listo para *merendar* el bote. Después de atravesarla, ese monstruo se convierte en lo que en realidad es: una cascada. Así va el individuo creciendo, demoliendo sus molinos de viento, llevando más atrás la frontera de sus temores, y logra tranquilizar su espíritu para continuar viviendo.

Al tobogán le seguía *un picado grueso* entre muchas piedras y poca profundidad. Traté de elegir el mejor itinerario para cuidar los botes y, sobre todo, para evitar la rotura de un remo, pues ¡no teníamos repuesto!; muchas veces a los panzazos pidiendo limosna, superamos algunos pasos de este tramo. Luego venía muy tranquilo, hasta que aparecieron las cascadas en media luna. La de arriba tenía una piedra que podía comprometer la integridad del bote pero, con más agua, podría hacerse. Así es que la perdonamos y embarcamos para la segunda.

Ésta resultó ser una *ese*, horadada y muy pulida, del granito gris característico de esta zona, muy fácil, muy divertida.

Alfredo y Héctor ya estaban listos para continuar. Toda la jornada, con sus zambullidas y vados, se les traslucía en las caras; si bien serían como las cuatro, el sol estaba muy bajo y convenía que no tomásemos frío. Intuía que el camino tendría que pasar muy cerca de algún punto más adelante, así que procurábamos no distraernos y no paramos hasta encontrarlo. Así ocurrió y, como broche de oro de un día memorable, pasó un colectivo bien calefaccionado que nos llevó de regreso al campamento y a los guisos del pirata. Al día siguiente llegó Diego. Mientras entraba en calor remando en los Moscos, repetí ese tramo, pero solo.

Con la tranquilidad de conocer todos los recovecos, gocé plenamente cada rápido; me preocupé por pulir la técnica, pero no estaba inspirado. Me sentí demasiado relajado para remar bien, y volví a volcar en el fondo del tobogán, pero no fallé en el *roll*. Me enredé en la *ese* de abajo, por la mitad, terminándola de popa y volcando en el fondo; aquí me quedé enganchado boyando en los remolinos que no me dejaban alejar de la manguera. *¡Sin pánico..., mira bien..., la roca está muy cerca... cambia de amura y arriba!*

Decididamente no era mi día. Sentía que no había dominado el río, pero sí a mí mismo, y pensé que, por ese día, ya era bastante...

Antes de regresar a Buenos Aires, terminé con Alfredo el resto del tramo hasta el camping del Hess... Una tarde gris nos hablaba de un invierno que ya estaba con nosotros; *señal, hermano, de que volviésemos pa' las casas.*

GLOSARIO

Bicolora: Soga de 80 metros, la mitad colorada y la otra blanca, los colores identifican mejor la parte de la cuerda que se quiere traccionar.

Blade: Del inglés (hoja o filo) Clavo muy fino.

Col: Collado o abra entre dos montañas.

Couloir: Del francés, corredor por donde generalmente bajan avalanchas, agua o nieve.

Dar seguro: Cuidar la integridad del compañero de cordada que está escalando expuesto a una caída, regulando la tensión adecuada de la cuerda que los vincula. Un escalador que se sabe bien asegurado puede concentrarse mejor en su progresión y en ir sorteando las dificultades que se le van presentando, sabiendo que su compañero está atento y pendiente de su seguridad.

Grampón: Conjunto de puntas de metal que se coloca en las botas para escalar o caminar sobre en el hielo.

Nut: Del inglés (nuez), pedazo de aluminio que se empotra dentro de las fisuras, se utiliza para seguridad o para avanzar en artificial.

Plateau: Del francés, planicie de nieve o hielo.

Prusik: Nudo que se ajusta con la tracción.

Rappel: Descenso en soga doble.

Rimaya: Grieta entre la roca y el glaciar.

Sarski: Funda de Nylon para dos personas.

Serac: Formación de hielo, generalmente en equilibrio inestable a causa del rompimiento de un glaciar.

Tricuni: Viejo zapato alpino usado en Europa hasta los años 40, cuando fue suplantado definitivamente con la llegada de la suela Vibra, toda de caucho.

Vivac: Campamento en condiciones precarias. Sin carpa o bolsa de dormir.

ÍNDICE

Esta edición
de 2000 ejemplares
se terminó de imprimir en
A.B.R.N. Producciones Gráficas S.R.L.,
Wenceslao Villafañe 468,
Buenos Aires, Argentina,
en junio de 2006.